SOLIDÃO

Copyright © 2014 by José Maria Mayrink

1ª edição — Abril de 2014

Grafia atualizada segundo o Acordo Ortográfico da Língua Portuguesa de 1990,
que entrou em vigor no Brasil em 2009

Editor e Publisher
Luiz Fernando Emediato

Diretora Editorial
Fernanda Emediato

Produtora Editorial e Gráfica
Priscila Hernandez

Assistente Editorial
Carla Anaya Del Matto

Auxiliar de Produção Editorial
Isabella Vieira

Projeto Gráfico e Diagramação
Ilustrarte Design e Produção Editorial

Capa
Raul Fernandes

Preparação de Texto
Marcia Benjamim

Revisão
Josias A. Andrade
Taissa Antonoff Andrade

DADOS INTERNACIONAIS DE CATALOGAÇÃO NA PUBLICAÇÃO (CIP)
(Câmara Brasileira do Livro, SP, Brasil)

Mayrink, José Maria
 Solidão / José Maria Mayrink. – 1. ed. – São Paulo : Geração Editorial, 2014.

 ISBN 978-85-8130-064-1

 1. Entrevistas 2. Jornalismo – Brasil 3. Jornalistas – Brasil –Biografia 4. Memórias autobiográficas 5. Repórteres e reportagens 6. Solidão urbana I. Título.

12-10240   CDD-079.81

Índices para catálogo sistemático:
1. Brasil : Jornalismo   079.81
2. Jornalistas brasileiros : Memórias   079.81

Geração Editorial

Rua Gomes Freire, 225 – Lapa
CEP: 05075-010 – São Paulo – SP
Telefax: (+ 55 11) 3256-4444
E-mail: geracaoeditorial@geracaoeditorial.com.br
www.geracaoeditorial.com.br

Impresso no Brasil
Printed in Brazil

Para
Robson Costa, o repórter
que viveu a solidão desta cidade
e sonhou com esta reportagem.

Para
Júlio de Mesquita Neto e Ruy Mesquita,
que acolheram nas páginas de seus jornais
as alegrias e as tristezas de São Paulo.

Para
Maria José e nossas filhas Cristina, Mônica, Luciana e Juliana,
que tão de perto acompanham minhas histórias.

SUMÁRIO

Introdução 9
Prefácio 13

PRIMEIRA PARTE
1 Sozinhos, no meio da multidão 22
2 Lúcia pede ajuda. São Paulo socorre 35
3 Parecem felizes. Queixam-se da solidão 56
4 A solidão dos eleitos e dos condenados 73
5 Doença, idade? Solidão é que dói mais 94
6 A máquina. Refúgio e causa da solidão 108
7 A luta dos solitários contra a solidão 126

SEGUNDA PARTE
1 Os solitários e seus segredos 145
2 Os pássaros silenciados 153

TERCEIRA PARTE
A Solidão, 30 anos depois 165

Sobre o autor 187

INTRODUÇÃO

EM 1978, QUANDO ESCREVI UMA SÉRIE DE REPORTAGENS sobre a cidade de São Paulo e as pessoas que vivem aqui, descobri uma coisa desconcertante: há em São Paulo 300 mil pessoas que moram sozinhas, em pequenos apartamentos, no espaço vazio das mansões, debaixo das pontes e dos viadutos e até — pasmem — nos túmulos vazios dos cemitérios. Se são solitárias ou se apenas vivem sozinhas, só elas poderão responder. Mas em São Paulo pelo menos dez pessoas tentam se matar, todos os dias, de tédio e solidão, segundo revelam as estatísticas frias e impessoais do IBGE.

Por que as pessoas se matam? Por que são solitárias no meio da multidão? Por que não são amadas e não conseguem, por sua vez, amar? Por que fazem, da solidão, um martírio, em vez de instante sereno e tranquilo para a meditação? Por que as pessoas se preocupam tanto consigo mesmas, e sofrem, fechadas dentro de seus corações, incapazes de doar-se, de agir coletivamente, de abrir corações e mentes para o outro — revolucionariamente? Eu me fazia estas perguntas, em

1978, quando tentava escrever sobre os contraditórios personagens desta cidade fascinante, terrível e enigmática que é São Paulo.

Não pude, porém, deter-me neste assunto específico — a solidão —, mas prometi a mim mesmo voltar a ele, um dia. O repórter José Maria Mayrink fez isso antes de mim. É com inveja e assombro, então, que eu leio esta reportagem, comovendo-me com sua capacidade de sentir, com seus personagens, a dor da miséria e da tragédia, a mágoa, o desencanto diante da morte, mas também a esperança, quando tudo falha, numa luz que se acende — débil, mas de qualquer forma luz — no fim da estrada. E então devemos, se estamos vivos, caminhar resolutos na sua direção — e sem fraquejar, pois aí sim a chama se apaga, tudo escurece e nada mais faz sentido.

O livro de José Maria Mayrink, que é basicamente a série de reportagens publicadas com extraordinária repercussão no jornal *O Estado de S. Paulo*, de 12 a 19 de dezembro de 1982, não é um tratado filosófico, uma tese, um estudo psicológico ou social. É exatamente o que se propõe a ser, e assim deve ser visto: como uma excelente reportagem, um corte jornalístico na vida da cidade e seus habitantes. Não uma reportagem fria, impessoal: Mayrink sofreu com seus personagens. Conviveu com eles não como um observador distante — mas como um deles. Por isso, sua reportagem tem aquilo que as boas reportagens devem ter: estilo, emoção, verdade. Seu livro é algo que nos toca e nos transforma, mesmo quando, por razões até ideológicas, não podemos partilhar algumas de suas opiniões. Que importa? Acima dessas divergências, existe, sofrendo, o companheiro humano e solitário que, egoístas e frios, abandonamos.

Eu teria gostado de escrever este livro. Ele certamente contribuirá para tornar melhor o homem e, como ele, esta sociedade terrível que tentamos, todos os dias, modificar, para que se torne menos cruel, menos egoísta, menos injusta e menos solitária.

Luiz Fernando Emediato

O texto deste livro mantém datas e valores citados na reportagem original, cujos dados foram colhidos entre setembro e novembro de 1982, quando o salário mínimo de São Paulo era de Cr$ 16.608,00 — valor equivalente a R$ 421,10, em fevereiro de 2012, corrigido pelo IPCA-IBGE.

PREFÁCIO

NOS ESTADOS UNIDOS, 75% DAS PESSOAS HABITAM HOJE apenas 2% do território nacional: as cidades. No Brasil, esse número é menos expressivo, mas converge naquela direção em ritmo acelerado. Por trás do fenômeno mundial da urbanização, parece esconder-se uma reação característica do homem moderno, a de fugir dos grandes vazios e do silêncio da natureza, para a ebulição e o calor das metrópoles. O diagnóstico da doença das grandes cidades passa inevitavelmente pela solidão dos homens para chegar à angústia, à melancolia e ao desespero. Não apenas os idosos, os doentes, os cegos e os presos, mas também o homem comum, que trabalha e se ocupa durante o dia, é vítima dessa forma de sofrimento peculiar que é a sensação de abandono no mundo, de rejeição e de indiferença entre seus semelhantes.

A cidade imensa é o mostruário perfeito dessas mazelas, para quem souber ver e ouvir. "A solidão faz sempre muito ruído — diz Eric Hoffer — e isso se aplica tanto aos homens quanto aos cachorros."

O barulho inútil e ostensivo parece uma necessidade nesses lugares, e neles concorrem a fala estridente e a voz das máquinas do progresso, em sua faina constante. O homem solitário de que fala Aristóteles, que é um animal ou um Deus, na *urbs* moderna é sempre tentado a ser o primeiro, porque as pressões que recebe impedem a tranquilidade e a meditação, requisitos para toda tentativa de transcendência da animalidade. O ruído é uma forma de chamar atenção, é um grito de socorro, é um resíduo comum da superficialidade.

Em meio ao frenesi e à desordem, é fácil ceder à tentação da autopiedade. A cidade não dá tréguas a quem queira interromper a corrida louca em nome do prazer e do dever, para simplesmente pensar. As emoções ocupam um espaço que podia ser preenchido com o conhecimento, a constatação dos fatos, o aprendizado humilde do mundo e de si mesmo no mundo. Não há tempo, não há paz, não há vontade, e toda ação é definitivamente substituída por mera reação. O homem reage aos estímulos do meio em que vive, e esse meio é incansável, na cidade febril, onde o homem é, ao mesmo tempo, autor e vítima.

No labirinto humano, o solitário é aquele que se sente esquecido, rejeitado, sozinho — não necessariamente aquele que está isolado. Entre os mitos e confusões que fizeram carreira ao longo dos tempos, a indistinção entre isolamento e solidão é, talvez, o mais antigo e persistente. O primeiro é uma situação real, que não implica absolutamente sofrimento. O segundo é uma forma de dor que varia de intensidade de homem para homem, conforme as ilusões usadas para enganá-la ou o discernimento utilizado para diluí-la. O isolamento é apenas um fato, a solidão é uma opinião que alguém deixou enraizar em seu próprio espírito. Entre os versos de Lope de Vega, que recitava

A mis soledades vou,
De mis soledades vengo;

Porque para andar conmigo,
Me bastan mis pensamientos.

E a frase de Milton, no *Paraíso Perdido* "a sociedade é, na maioria das vezes, a melhor companhia, e um breve afastamento exige sempre um doce retorno", vai uma distância muito grande. O espanhol conhecia o prazer suave do isolamento, que não excluía idas e vindas ao mundo dos extrovertidos, enquanto o inglês sufocava no isolamento e depressa formulava ideias a respeito das delícias da convivência, quanto mais numerosas, melhor.

Paul Tillich diz que "a solidão só pode ser conquistada por aqueles que podem suportar o isolamento". Talvez a palavra suportar esteja deslocada na frase. O isolamento é alguma coisa simples, que não envolve emoções e que existe como um pôr-de-sol ou um gato dormindo numa cadeira. É algo a ser deixado exatamente como é — como de resto, tudo mais. Mas as pessoas habituaram-se a fazer coisas em torno de situações e, geralmente, envolvem nisso ideias, emoções e sentimentos. Se estamos isolados há alguns dias e não procuramos ninguém nem por ninguém somos procurados, não há nada a fazer a respeito e tudo está perfeitamente bem. Se ocorre uma ideia-sentimento, um "comentário" interior sobre nossa solidão (a palavra tem uma carga própria), tendemos para a melancolia e logo reagimos para remediar o problema (não havia um problema, até há pouco), tomando uma providência ou mergulhando em tristeza.

O que há de espantoso na solidão não é nosso desejo frustrado de sermos amados, mas a indiferença habitual de quase todos nós em relação ao que acontece em nosso íntimo, e de como isso se reflete no relacionamento com os demais. Poucos se voltam para o fato de que o sentimento de rejeição é comum na infância, até mesmo quando não há rejeição. Cobramos continuamente provas de amor, mas somos destituídos de qualquer capacidade de amar. Quando alguém quer remediar o "vazio" que sente ao seu redor, procura exclusivamente um modo de ser amado, não cogita jamais um modo de amar. A descoberta de que a autopiedade é uma forma de fantasia comum, relacionada com o sentimento de solidão, pode ter um impacto muito grande. Melhor que um apoio psicoterápico, um exame mais aprofundado da questão pode levar a resultados na cura da tristeza e da melancolia associada à solidão.

No caldo de cultura das cidades grandes existe, em doses fartas, tudo o que está vivo no insondável inconsciente humano. Como no Aleph, todo o universo, em todos os seus momentos, está ali contido, em beleza e em monstruosidade, em piedade e em indiferença, e nesse molho infernal está presente também o tempero da solidão — alguma coisa criada pelo espírito do homem, para seu próprio tormento, e da qual ele só pode libertar-se, quando identifica seus ingredientes e seu autor. Mas o ruído, a pressa, a sofreguidão afastam o homem desses interesses que pedem um espírito flexível e tranquilo, que demandam tempo e silêncio. Há todo um círculo vicioso a ser rompido, um processo que se reforça continuamente, e do qual todo mundo já ouviu falar algum dia, pela voz da religião ou com a ajuda de uma intuição momentânea. A engrenagem colossal da vida nos grandes centros não é perfeita: a prova de sua falibilidade é o vago descontentamento que teima em permanecer no coração de quase todas as suas vítimas. A solidão — a ideia de solidão, melhor dizendo — é uma espécie de vazamento na grande estrutura, e um indício da sua fragilidade. Essa radiografia do coração de São Paulo, reveladora desse sintoma terrível — a solidão —, é uma contribuição, preciosa porque rara, para desmontar essa máquina feita pelo animal que há no homem, destinada a moer o espírito do Deus que também existe nele.

Luiz Carlos Lisboa

PRIMEIRA PARTE

A Solidão

Triste, pesada, querida

A solidão na praça da Sé: o mendigo abandonado...

Foto: João Pires

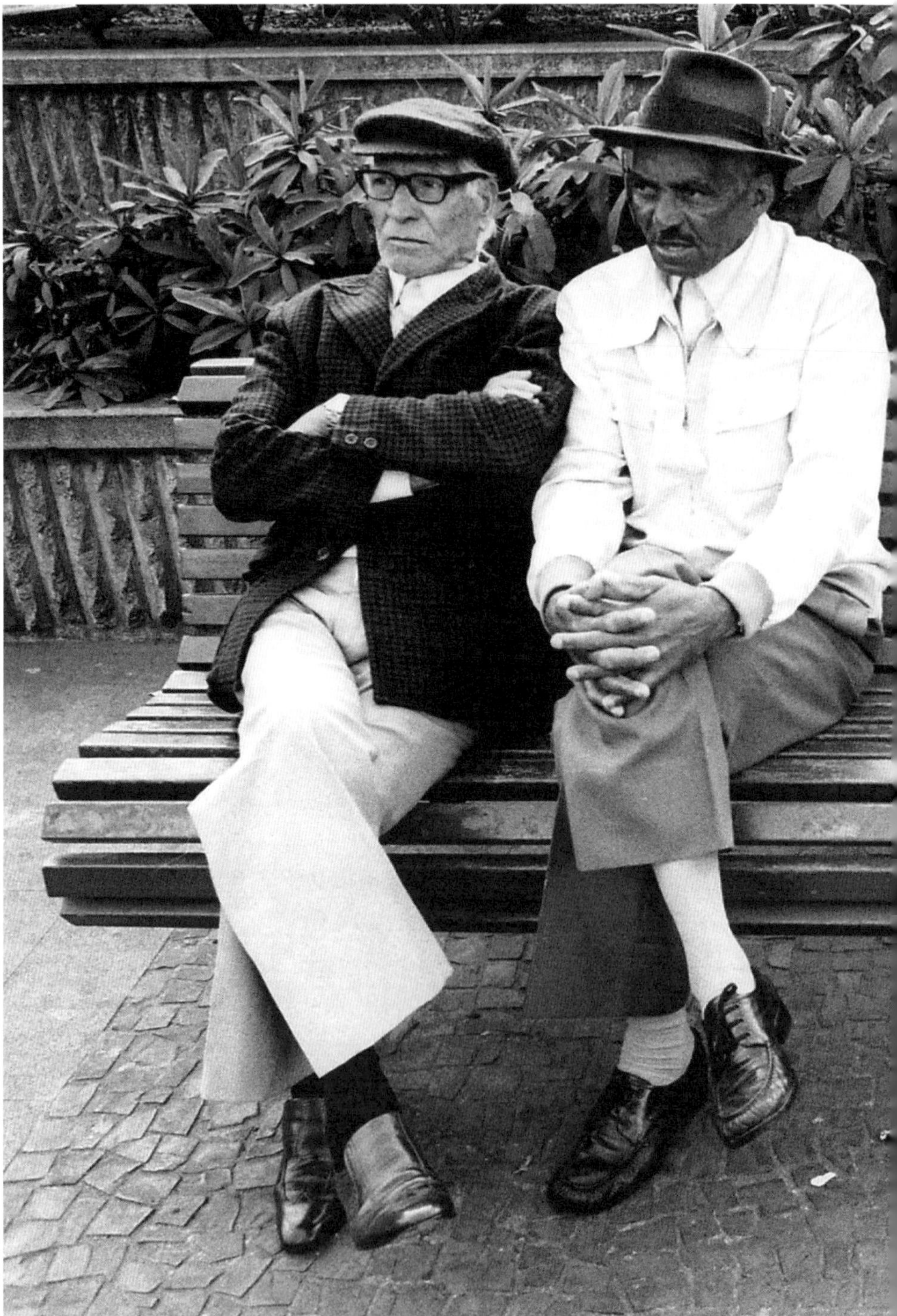

Foto: João Pires

... e o homem da mala, inacessível e misterioso.

1
Sozinhos, no meio da multidão

NESTA CIDADE DE 9 MILHÕES DE HABITANTES, SÃO PAULO, pode-se passar três horas no meio da multidão e não ouvir voz humana — só o ruído surdo dos automóveis e suas buzinas, como acontece no viaduto do Chá, onde as pessoas caminham caladas e indiferentes. "A solidão está dentro de nós", ouvi muitas vezes. Mas nem sempre os solitários são capazes de definir esta sensação que é, ao mesmo tempo, angústia e dor, desamparo e paixão, vazio e saudade. É abandono, tristeza e desespero. E também alegria e paz. O presidiário prende a solidão aos limites de sua pena, o cego a percebe pelo silêncio dos que lhe negam a palavra, o mendigo dorme com ela no frio da calçada. Convive com os doentes nos hospitais, incorpora-se aos anos da velhice. Mas não é uma doença só de "marginalizados" na vida. Esconde-se atrás da esperança dos jovens e do sorriso das crianças. Há pessoas "normais" que choram de solidão. São estes personagens — os solitários — que vão falar de sua solidão, neste livro. Os nomes são quase todos reais, mas há também pseudônimos. Muitas pessoas que vivem e se sentem sós não queriam magoar aqueles que as abandonaram. Ou tiveram medo.

A primeira reação foi o silêncio. Sentado na ponta do banco de madeira com sua velha mala de plástico, os olhos magoados perdidos no vazio da praça, o homem mantinha-se de braços cruzados, indiferente às pessoas e às palavras. Sentei-me ao lado dele, disse que gostaria de conversar sobre solidão. Ele se voltou por um momento — três segundos, não mais — para me fixar, desconfiado. Mas retomou logo seu alheamento distante, como se não ouvisse ninguém. Decidi deixá-lo em paz e fui observar a estação do metrô. Cinco minutos depois, o homem não estava mais lá.

Mas o fotógrafo João Pires, que buscava comigo os solitários de São Paulo, documentou aquele instante de desamparo. Abatido e cansado, o boné jogado negligentemente de lado, a calça rasgada na perna direita, os pés calçados em velhos tênis desencontrados, misterioso e fechado para o mundo, o homem barbudo da praça da Sé podia ser um migrante que a cidade expulsava ou, quem sabe, recusava-se a acolher. Como também podia ser um presidiário que, saindo da prisão, estranhava a liberdade. Às 16 horas de uma tarde fria de céu azul, fim de feriado de 7 de setembro, ele se perdeu no meio da multidão, carregando com sua mala todo o segredo de sua solidão.

"Talvez fosse alguém que estivesse precisando desesperadamente de uma companhia amiga, mas devia estar bloqueado e preferiu fugir com sua dor", disse depois o médico psiquiatra Edmundo Maia, explicando-me que a maioria das pessoas não gosta de falar de sua solidão — uma verdade que, pouco a pouco, eu devia confirmar nos três meses seguintes.

Na estação do metrô, dezenas de solitários consumiam silenciosos as últimas horas de seu dia de folga. Uns ao lado dos outros, eles estavam ao mesmo tempo juntos e sozinhos. Não se falavam, não se olhavam sequer, voltados indiferentes para o movimento de centenas de passageiros que chegam e saem. Podiam estar à espera de um encontro, mas não estavam. Todas as tardes de domingos e feriados, muitos homens e também algumas mulheres costumam ficar ali parados, alheios à multidão que, incessantemente, cruza por eles, mas participando de uma paisagem humana que se renova a cada instante e que, portanto, é movimento e vida. De vez em quando, passam grupos de jovens que falam alto, crianças correndo e subindo nos monumentos de bronze, famílias ruidosas e alegres voltando para casa, mas os solitários não ligam. Eles simplesmente fumam e olham para frente, como se estivessem num campo deserto.

Lá em cima, na praça da Sé, os casais de namorados passeiam entre os canteiros de muito concreto e poucas árvores, os velhos recordam o passado, os camelôs gritam milagrosos objetos de mil utilidades, os alto-falantes anunciam um *show* do cantor Elomar. Em todos os bancos de madeira, pessoas solitárias e tristes. Elas também parecem não prestar atenção na alegria e na vida dos outros. Voltam os olhos indiferentes para um lado qualquer e ficam ali, caladas e impenetráveis, junto de homens e mulheres que se abraçam e se beijam, jurando efêmeras declarações de amor. As prostitutas começam a chegar, no início da noite, também sozinhas e tristes, mesmo quando o sorriso nos lábios esconde para os eventuais clientes a tristeza de sua solidão.

A 200 metros dali, no largo da Misericórdia, há músicas e dança. Repentistas nordestinos fazem versos e sanfoneiros tocam saudades de sua terra. Os conterrâneos vão se aproximando desconfiados, atraídos pelo ritmo familiar do conjunto improvisado. Mais alguns minutos e eles já não resistem ao forró que se organiza espontâneo e descomprometido no calçadão. Ninguém se conhece, mas esse detalhe não tem a menor importância. Os pares se tiram para dançar, mulheres e homens sofridos, empregadas domésticas e peões de construção, que afogam naquelas poucas horas de baile as mágoas e canseiras da semana. São homens e mulheres que vivem sozinhos em São Paulo, longe dos parentes e dos amigos que deixaram nos sertões do Nordeste.

Mais alguns quarteirões adiante, a baiana Elizabeth também está dançando forró na sala de um velho casarão. Houve época em que ela costumava, como seus conterrâneos, vagar perdida pelas ruas do centro de São Paulo, arrastando sua solidão e sua miséria, mas agora não faz mais isso. Elizabeth passa as tardes de domingo na Casa de Oração, um lugar que a Organização de Auxílio Fraterno (OAF) mantém para os mendigos — "a gente da rua", como o pessoal de lá prefere dizer — na Florêncio de Abreu, nº 11, fundos do mosteiro de São Bento.

Aos trinta e nove anos de idade, catorze deles em São Paulo, ela já foi tudo na vida:

> Já dormi na calçada e já pedi esmola, fui viciada e passei noites em hotéis, me refugiei na bebida e acabei indo pra cadeia. Depois de um ano na prisão e três filhas, estou aqui numa vida nova, agora sou outra. Mas a solidão que eu arrastava pelas sarjetas ainda me acompanha.

Elizabeth — que escreve comoventes versos contando sua experiência de gente da rua, mas tem vergonha dos erros de uma gramática que não conseguiu estudar — mora com suas três meninas num pequeno quarto alugado na Vila Mazzei, de onde ela desce, todos os domingos, para rever e ajudar companheiros e amigos que deixou na cidade. Abandonada pelo marido, trabalhando como faxineira cada dia numa casa diferente, sem recursos para dar escola às filhas, ela ainda se sente só e triste, às vezes até chora, mas ali na Casa de Oração dança, conversa e parece feliz.

A felicidade de Elizabeth é a vitória de conseguir passar da rua para um quartinho alugado e cuidar das filhas, que agora andam limpas e bem vestidas. Mas o futuro das meninas já é um pesadelo: Elizabeth tem medo de acabarem caindo na mesma vida que ela enfrentou.

> Sou feliz, agora, mas ainda tenho pavor dos anos em que andei por aí, principalmente daquela época em que fui viciada; olhe aqui a marca da agulha no meu braço. A minha solidão deve vir daqueles tempos, não existe pior solidão do que a do viciado em drogas.

Os companheiros de Elizabeth, homens e mulheres que continuam na rua, não ouvem a história dela. Quando acaba o dia na Casa de Oração, uma tarde de festa, eles voltam para debaixo dos viadutos ou vão dormir à porta das igrejas. Sozinhos, cada um no seu canto, pois entre eles os conhecimentos são passageiros e as amizades não costumam durar.

NA ESCADARIA DA CATEDRAL, madrugada chuvosa e fria de 25 de setembro, o mineiro Íris Silva das Neves, um homem de cinquenta e cinco anos que parece vinte anos mais velho, recorda seus tempos de menino na cidade de Ponte Nova, de onde saiu antes de terminar o grupo escolar, para viver em Belo Horizonte. Lá, ele fez algum dinheiro, comprou até um lote para construir seu barraco, arranjou uma mulher. Agora, há dois meses em São Paulo, virou mendigo — "um homem da rua", como as centenas de companheiros da baiana Elizabeth que andam catando papelão para vender.

> Tive uma mulher, na verdade era minha amante, que morreu de tanto beber. O que não gastei com ela perdi depois, quando fui operado de meningite. Fraco da ideia, não tenho nem INPS pra me pagar pensão.

Íris conta sua história de andarilho sozinho no mundo, sem esconder uma ponta de inveja de seu amigo Manoel Ferreira da Silva, sapateiro de quarenta e quatro anos, que anda maltrapilho e doente, mas ainda tem uma irmã em Santos. Manoel, sujo e todo rasgado, tem vergonha de procurá-la. Mas a cada instante promete a si mesmo arrumar uma roupa limpa, arranjar um emprego e voltar para a família.

"A mulher que há doze anos deixei com o filho em Sergipe eu não quero mais, porque ela me abandonou para viver com outro", diz o sapateiro, lembrando como casou "no pulso" (obrigado) com uma menina de treze anos, depois de ter dormido com ela. Manoel conta o começo de sua história meio envergonhado, mas o velho Íris não deixa de admirar sua sorte.

> Como é que você tem vergonha de ter casado assim? Mesmo que fosse para casar "no pulso", como você diz que casou, eu daria tudo para ter a companhia de uma mulher e acabar com essa solidão que a gente está vivendo.

Íris e Manoel falam da solidão sem amargura, encarando-a como parte da miséria de suas vidas, que arrasta também a fome, a doença, o desabrigo e a incerteza de cada dia. Por acaso, os dois são amigos, encontraram-se na véspera. Nesta madrugada fria de setembro, um está cuidando do outro: o mineiro Íris tomando conta do papelão que vai render Cr$ 200 no dia seguinte, enquanto o sergipano Manoel sai em busca de comida.

Quando uma mulher aparece com o violão para improvisar uma serenata com os homens da rua, Íris canta *"A Normalista"* e Manoel canta *"Asa Branca"*, felizes por alguns instantes, esquecendo o frio e a chuva, a miséria e a fome. O pessoal que dorme à porta das igrejas, debaixo dos viadutos gosta de uma boa prosa e costuma ser solidário: o sapateiro Manoel, por exemplo, me ofereceu uma beirada de seu jornal na soleira da catedral, ao me ver chegar. No princípio, ele não notava diferença, mas ficou meio perturbado quando descobriu que eu estava limpo e agasalhado. "O senhor é uma pessoa muito importante", ele repetia, ainda confuso com uma presença estranha no meio da noite.

Um mês depois, Íris e Manoel não estavam mais lá. Mas estava Nélson Vieira de Paula, trinta e seis anos de idade, paranaense de Cascavel. Ele já foi fazendeiro, tinha terras e dinheiro, mas perdeu tudo, quando desviou quatro caminhões carregados de café e cometeu um homicídio. Nélson está saindo da prisão e há quatro dias não come nada.

> Sou valente, bom de briga, mas sou honesto. Sou um sujeito bom. Não parece, mas já matei um homem. Vou morrer cedo, mas bebo assim mesmo, não tem outro jeito.

Nélson aperta minhas mãos e sorri quase com alegria. É a primeira vez que ele está conversando com alguém no centro de São Paulo, desde que deixou a Casa de Detenção. Ele tem um passado e um irmão rico no Paraná, mas está sozinho no mundo.

> Perdi os pais, meu irmão não quer saber de mim. Se fosse contar toda a minha história, ia ser a noite toda. Vou dormir só hoje aqui. Depois vou trabalhar, ainda vou melhorar.

Nélson divide com outro mendigo o cigarro que tem na boca. Ao pé da escadaria, o paraibano Genival Felismino e o cearense José Ferreira também compartilham com outro companheiro de rua, o gaúcho José Siqueira, a única coisa que sobrou de um dia de caminhadas solitárias pelo centro de São Paulo — uma garrafa de pinga, que vai passando de mão em mão. O gaúcho parece meio louco, mas os dois nordestinos são apenas desempregados que estão começando a catar papel e pedir esmolas.

Solidão para eles é sinônimo de impotência e desamparo. Genival e José Ferreira chegaram à cidade em melhores tempos, quando era mais fácil arranjar serviço e juntar dinheiro para um dia trazer a família toda do Nordeste. Agora, perdidos na noite, bem ali em cima da estação do metrô, que ajudaram a construir, eles só pensam em vestir uma roupa mais decente, trabalhar mais alguns meses e voltar para suas terras.

OS VOLUNTÁRIOS DO INSTITUTO Fraternal de Laborterapia, que funciona num prédio da rua Francisca Miquelina, nº 94, às vezes arrastam para suas reuniões os mendigos embriagados que encontram pelas ruas. Mas, em geral, não é isso que acontece. Alcoólatras e pessoas interessadas no problema do alcoolismo costumam subir espontaneamente as escadas para descarregar ali, nos encontros de sexta-feira, seus dramas e tragédias. Frequentemente, os depoimentos falam de solidão — às vezes causa, às vezes consequências de bebida. É apenas um endereço, entre dezenas de outros que acolhem, a qualquer hora do dia ou da noite, os solitários de São Paulo.

No Centro de Valorização da Vida (CVV), rua da Abolição, nº 411, um empresário tocou a campainha num fim de tarde de trabalho e entrou. "Não sei bem o que estou fazendo aqui", disse ele se desculpando, mas aceitou o convite do jornalista Valentim Lorenzetti, que estava de plantão.

"Era um executivo muito bem vestido, sem dúvida um homem bem instalado na vida", conta Valentim, que jamais ficou sabendo o seu nome. Ele simplesmente sentou-se diante do plantonista e soluçou durante quinze minutos, sem dizer uma só palavra. Na hora de sair e agradecer, comentou apenas: "Este foi o único lugar onde me deixaram chorar".

Os 120 plantonistas do CVV, que se revezam em turnos de cinco horas de trabalho voluntário, atendem a 500 chamadas por dia. As pessoas costumam falar uma média de trinta minutos e pelo menos 10% delas acabam indo à instituição para um contato pessoal. Os telefonemas são mais numerosos entre 16 e 22 horas, todos os dias, multiplicando-se assombrosamente na época do Natal.

"Todos ligam porque se sentem solitários ou quando se descobrem sozinhos, numa solidão que pode levá-los à beira do suicídio", explica Valentim Lorenzetti, que muitas vezes identifica no recurso ao CVV o último grito da pessoa que se sente abandonada e quer se matar.

O plantonista apenas ouve, frequentemente nem precisa dizer nada. As pessoas que se sentem sós e ligam para outra, mesmo que seja uma desconhecida, têm necessidade de falar, querem só alguém disposto a ouvi-las, não exigindo mais do que isso. Muitas delas são pessoas que, acordadas na solidão da madrugada, não têm mais a quem recorrer. Quando sai do ar o último programa de televisão, elas se lembram do número 34-4141 e começam a conversar, como se estivessem retomando um papo interrompido.

Como as emissoras de rádio e TV costumam divulgar o telefone do CVV no fim da noite, os solitários aproveitam a dica para chamar imediatamente. Ou guardam o endereço para procurá-lo, quando for necessário. Foi o que fez o pernambucano Arnaldo Alves, de vinte e um anos, vigia de obra, que chegou há dez meses a São Paulo. Trabalhando das 18 às 6 horas da manhã, numa construção em Perdizes, ele ainda não precisou de ajuda, mas fez questão de ir conhecer a sede do CVV na rua da Abolição, depois de ouvir o anúncio do rádio.

A madrugada é vazia e dura para Arnaldo, principalmente entre uma e 4 horas, quando não há mais movimento de gente na rua. Sua distração é ouvir música ou conversar com o zelador do prédio em frente, que ficou seu amigo e até o convidou para almoçar em casa num domingo. Se não fosse essa amizade, ele não sabe como seria sua vida em São Paulo.

> "Não quero saber de baile, pois não vou arranjar namorada para casar: casamento é só com moça do Norte."

Arnaldo, que deixou os pais e cinco irmãos no Recife para vir ganhar um salário de Cr$ 40 mil em São Paulo, confessa que algumas vezes costuma sentir alguma coisa parecida com solidão, mas trata de abafá-la com o trabalho.

Num salão da igreja de Santa Ifigênia (rua Santa Ifigênia, nº 30), os Neuróticos Anônimos se reúnem todas as quartas-feiras, às 2 horas da tarde. Ali, qualquer um pode entrar e sair sem dar satisfação a ninguém. As reuniões obedecem a certo ritual — a oração da serenidade, que se reza no início e no fim, a inscrição para falar, uma rápida explicação sobre os objetivos e as regras da irmandade — mas os depoimentos são informais.

Cada pessoa tem oito minutos para desabafar seus problemas, sem interrupções nem apartes. Ninguém comenta o que se disse, e a proteção ao anonimato é uma das leis dos Neuróticos Anônimos que se deve observar rigorosamente. Ali, também como acontece nas reuniões dos Alcoólicos Anônimos, uma entidade muito parecida, muita gente costuma falar de sua solidão, mesmo quando a doença que se pretende curar é neurose ou alcoolismo. No dia 17 de novembro, quando quarenta mulheres e dez homens assistiam ao encontro dos NA de Santa Ifigênia, uma moça começou a soluçar convulsivamente, ao chegar a hora de seu depoimento. O problema dela era sua extrema solidão (uma das participantes explicou), mas ela não foi capaz de falar nada. Os neuróticos a deixaram chorar, na esperança de que num dos próximos encontros possa quebrar o bloqueio do silêncio.

AS LUZES COLORIDAS PISCANDO sobre a pista, travestis dublando sorridentes as vozes de Cauby Peixoto e Ângela Maria, desenhos eróticos animando a tela do videocassete, dançarinas fazendo *stripteases* nos estrados, as mulheres se oferecendo aos clientes no início da madrugada... Mais de 200 pessoas bebem e se abraçam no escuro da boate de segunda classe da rua Bento Freitas, na decadente "boca do luxo", falando e rindo alto, aparentemente felizes em meio à loucura do som e dos corpos. Mas Ana Maria, uma nordestina de vinte e quatro anos, magra e morena, está triste.

Todas as tardes, ela sai de ônibus de uma longínqua vila da Zona Sul de São Paulo, deixando com uma vizinha a filha de cinco anos. Ela diz que vai dar plantão de enfermeira num hospital e todos acreditam.

O marido a abandonou há mais de um ano, mas seria capaz de matá-la, se algum dia descobrisse a verdade. Ana Maria tentou outras profissões: foi manicure e cabeleireira, mas o dinheiro não deu. Há oito meses está ali, de *short* e sutiã, fazendo companhia aos homens.

> Eu só converso com os fregueses, não saio com ninguém, nem biquíni eu ponho, é a condição para ficar aqui. Quando um homem avança um pouco, eu falo com ele que carinho pode, mas que não passe disso. Me ofereceram o trabalho na boate, eu não sabia como era.

Até agora, Ana Maria está resistindo. Ela não vai dormir com clientes da boate nos hotéis baratos do centro de São Paulo, mas também não ganha tanto dinheiro como suas colegas. Seu salário não passa de Cr$ 32 mil mensais, mais as pequenas comissões sobre o consumo da bebida que os homens tomam em sua companhia. As mulheres que fazem outros serviços conseguem dobrar a renda.

Na vila da Zona Sul, Ana Maria mora numa casa de três cômodos. Metade do que ela recebe é para pagar o aluguel e a mulher que cuida de sua filha. Como a menina estuda à tarde, tem poucas horas para ficar do lado dela.

> A solidão que começa na boate continua em casa, pois mal vejo a minha filha, que eu adoro. Quando ela vai para a escola, eu entro no quarto e choro. Mesmo quando estou com a menina junto de mim, eu me sinto só.

Se Ana Maria não fizer concessões, vai perder o emprego na boate. Sem estudos e instruções, mal consegue conversar com os clientes que, ela mesma conta, já começam a reclamar. As colegas fazem pressão para

Ana Maria sair com os homens, mas ela sempre dá uma desculpa: bebe um copo de cerveja e alega dor de cabeça para recusar os convites.

> Essa alegria toda é falsa, não quero saber disso aqui, embora não queira também condenar as outras... Se estão aqui, é porque gostam ou precisam.

Neuza, o nome artístico de um travesti que há mais de vinte anos dança de vestido longo e peruca loura nas boates de São Paulo, gosta da vida que leva. Para ele, é uma profissão como outra qualquer. É ele quem consegue os maiores aplausos dos homens, no *show* da madrugada, quando canta "*Travessia*", de Milton Nascimento, dançando na pista iluminada.

Na verdade tudo nele também é falso — o nome, a peruca, o vestido de mulher, o sorriso nos lábios e até a voz, que é uma gravação de Ângela Maria. Por isso, o travesti sente muita solidão, quando volta para seu apartamento, onde um cachorrinho e quatro gatos lhe fazem festa e companhia.

Mas Neuza, um travesti de curso superior que podia ter uma profissão liberal, não quer falar de sua solidão.

2
Lúcia pede ajuda. São Paulo socorre

Mineira Solitária
Obrigada a me transferir de Belo Horizonte, por razões profissionais, estou sozinha e sem amigos em São Paulo. A cidade me sufoca durante o dia e me isola à noite num pequeno apartamento de bairro. Não sei o que fazer, não tenho a quem recorrer, às vezes chego quase ao desespero. Quero gente para conversar, quero pessoas a meu lado, socorro para uma solidão que não sei definir, mas que me atormenta. Ajude-me, por favor. (Cartas para "Mineira solitária", aos cuidados deste jornal, Caixa Postal 8005, CEP 01000, SP)

DEPOIS DE PUBLICAR ESTE ANÚNCIO NO JORNAL *O ESTADO de S. Paulo*, de quinta-feira a domingo, em setembro de 1982, Lúcia Ribeiro, a "mineira solitária" de Belo Horizonte, recebeu 370 cartas de pessoas que queriam ajudá-la ou confessavam ter passado pela mesma experiência de solidão. A maioria delas era de São Paulo, mas havia também cartas de outros estados e até da França e da

Lúcia, a mineira, na solidão do seu apartamento.

Foto: Sidney Corralo

Argentina. Lúcia respondeu a quase todas, telefonou para algumas pessoas e encontrou-se com outras. A vida dela mudou, ao descobrir que muita gente sentia o mesmo problema.

"E SE não vier nenhuma resposta?" A primeira sensação de Lúcia, ao ver seu anúncio publicado no jornal, foi de medo. Sozinha no seu apartamento de sala, quarto e cozinha no bairro de Perdizes, ela admitiu que ninguém ligaria para seu apelo, um comovente grito de seis linhas, pedindo a ajuda de São Paulo para vencer a sua solidão.

"Quero gente para conversar, quero pessoas a meu lado, socorro para uma solidão que não sei definir, mas que me atormenta", dizia o anúncio publicado em duas colunas de *O Estado de S. Paulo*, de 16 a 19 de setembro. Mais otimista, Lúcia releu o texto e calculou que ela, a mineira solitária do título, receberia pelo menos dez cartas.

> Mas chegaram 370, só na primeira remessa do correio vieram mais de sessenta. Fui obrigada a deixar outras coisas de lado, parei até de estudar, para ler o que diziam e avaliar a reação que começava a provocar, pois imediatamente notei que alguma coisa estava mudando dentro de mim.

Lúcia, que antes temia que as pessoas não lhe escrevessem, passou a temer o conteúdo das cartas. O que trariam aqueles envelopes que estavam agora sobre sua mesa, endereçados a uma mulher que não se identificara ao pedir socorro, fornecendo como referência apenas o número de uma caixa postal? Quando começou a ler, descobriu em todas as cartas mensagens de humana solidariedade.

> Levei um susto, que foi aumentando cada vez mais, ao tomar consciência da realidade. Descobri, de uma hora para outra, que não era só eu que sofria de solidão, problema comum a muita

gente que então resolveu se mostrar. Eu experimentava sensações contraditórias, ao mesmo tempo de angústia e alegria, de preocupação e alívio.

De repente, Lúcia não se sentia mais sozinha. Na volta do trabalho, ela corria para casa, apreensiva com a possibilidade de encontrar mais cartas à sua espera, como se fossem visitas. À noite, tinha a impressão de ter alguém a seu lado, só de pensar naqueles nomes que lhe traziam apoio e amizade. Não podia imaginar ainda como eram as pessoas que, àquela altura já se tornavam suas amigas.

Lúcia não sabia como iria reagir, mas decidiu ligar para alguns números de telefone, atendendo àqueles que insistiam num contato. Depois, alugou uma caixa postal no correio. Mas, antes mesmo de responder às primeiras cartas, o anúncio começou a provocar inesperadas reações entre as colegas de universidade.

> Uma amiga minha se lembrou de mim, ao ler o anúncio em Mogi das Cruzes, embora eu jamais lhe tivesse falado de meu problema de solidão. Outra passou o fim de semana preocupada com a moça que publicou o anúncio e levou o maior susto, quando lhe disse que era eu. Duas outras colegas tiveram sentimentos de culpa e ficaram chateadas por eu não ter percebido antes a amizade delas. Um conhecido meu em Belo Horizonte viu a *TV Bandeirantes* comentar o anúncio e pensou logo em responder. Desistiu, ao saber que era eu. Outros ficaram com ciúmes: achavam que agora eu poderia relacionar-me com mais pessoas e ter menos tempo para eles.

Lúcia perdeu noites de sono, pensando nas histórias de quase 400 homens e mulheres que vieram em seu socorro. Ofereciam ajuda de todo tipo e sugeriam as coisas mais incríveis como remédio para acabar com sua solidão.

> Foram cartas de solidariedade de gente que compreendia a minha situação, porque quase todos tinham passado pela mesma experiência ou ainda viviam em situação parecida. Meu anúncio funcionou também com eco para muitas pessoas que já tiveram vontade de fazer a mesma coisa, mas não fizeram. Houve ainda, eu soube depois, pessoas que recortaram o jornal, mas não tiveram disposição de responder.

Algumas imaginaram que fosse propaganda ou golpe publicitário, mas assim mesmo se arriscaram. Lúcia compreendeu o valor do risco, porque eram pessoas que, mesmo desconfiando, não queriam deixar de manifestar sua solidariedade.

> A maioria das cartas era de pessoas de vinte e cinco a cinquenta anos, embora houvesse também muitas de adolescentes. Os idosos que escreveram foram poucos, acho que só três ou quatro com mais de sessenta anos. Uns 70% são homens, em geral universitários, de boa posição profissional. Quase todos se identificaram, mandando o número do telefone, endereço de casa ou do trabalho, dados sobre a família, fotografias.

As mensagens traziam, em geral, compreensão, apoio, disponibilidade, mas houve algumas que emocionaram Lúcia particularmente.

> Um casal escreveu oferecendo a casa e marcando um almoço para domingo. Uma professora que trabalha o dia todo colocou

> "à minha disposição as poucas horas que tinha de folga". Desempregados que enfrentam uma fase difícil na vida ofereceram-se como amigos. E algumas pessoas deram conselhos.

Os apelos religiosos falavam de Deus e sugeriam que Lúcia fosse trabalhar em creches e hospitais. Duas moças a aconselharam a fazer turismo em São Paulo e a passear nos *shoppings*. Uma carta garantia que aqui uma mulher pode ir ao cinema desacompanhada, "o que talvez não se possa fazer em Belo Horizonte". Algumas pessoas perguntavam por que não arranjava uma amiga para morar com ela.

> E houve também propostas de casamento. Mais de um homem falava da necessidade de conseguir uma companheira e descrevia seu tipo ideal.

Quando Lúcia começou a responder às cartas (o correio devolveu algumas respostas), houve reações de curiosidade, de gente que se admirava de realmente existir alguém por trás do anúncio da "mineira solitária". Mais de um correspondente demonstrou ciúmes, ao descobrir que havia competição, já que não fora o único a atender ao apelo.

Mas o que mais impressionou Lúcia foi verificar que centenas de homens e mulheres viviam a mesma situação.

> A maioria das cartas que vieram do interior de São Paulo e de outros Estados retrata o mesmo quadro. Não sei se o problema é da cidade grande ou do tempo em que vivemos. Estamos numa época em que o relacionamento humano vai se perdendo cada vez mais, por culpa de coisas como videocassete, *walkman*, computador de bolso...

Agora, três meses depois do anúncio, Lúcia reconhece que as cartas a mudaram. Ela acredita ter hoje uma nova compreensão da realidade, como pessoa e como profissional.

> Isso mexeu comigo, me deu uma nova dimensão de comportamento. De repente, o anúncio me pôs em contato com um mundo que eu achava que fosse só meu e que, no entanto, é de muita gente. Minha visão da vida se ampliou. Agora, é maior a minha percepção do outro, a percepção da pessoa. Estou num crescendo. Em função da solidão dos outros, eu agora me pergunto: o que é a solidão para mim?

Algumas pessoas estão ajudando Lúcia a responder a esta pergunta. Um preso de Curitiba lhe disse que ela tem um bem maior — a liberdade. Um francês, que lhe escreveu do interior da França, lhe lembrou que ela trabalha, enquanto trinta milhões de pessoas estão desempregadas no mundo. Uma mulher contou que tinha câncer e nem por isso desanimou. E outra a convidou para passar um dia em sua casa e conhecer a grande alegria que é sua filha, uma menina de dois anos.

QUANDO RESPONDE QUE SEU problema não é casamento e as pessoas se mostram decepcionadas, Lúcia Ribeiro, a mineira solitária que há dois anos e meio se mudou de Belo Horizonte para São Paulo, conta a sua história de moça solteira, sem muitos amigos e nenhum parente na cidade.

> Se a gente morar sozinha, tem sempre a sensação de casa vazia, mesmo com os móveis no lugar. No início, a casa não dizia

> nada, eu não tinha a menor identificação com as coisas, até que fiz as primeiras compras — cama, geladeira, fogão. A televisão surgiu então como companhia inadiável, tal é a necessidade que a gente tem de ouvir uma voz em casa. Comprei minha TV antes dos pratos e das panelas. E lá ficava ela ligada, falando sozinha, enquanto eu estava em outro ambiente.

Fora de casa, Lúcia sentia muita falta do trabalho, mesmo não precisando do salário. Ela podia só estudar, fazendo o seu curso de pós-graduação, mas não suportava ficar parada: queria o contato com a escola e por isso está dando aulas. Quando sobra tempo, vai estudar na biblioteca da universidade.

> Nos sábados e domingos, saio com amigos, vou ao cinema e ao teatro, faço visitas. Mas nos fins de semana prolongados, a solidão é um desespero. Bordo, leio, faço tapetes, vejo televisão e, apesar de tudo, o tempo não passa. Telefone eu não tinha, estou tentando comprar agora, depois das cartas.

FOI NO FERIADO DE 7 de setembro, quando São Paulo era uma cidade vazia, que Lúcia resolveu pôr o anúncio no jornal, em busca de socorro para sua vida solitária.

> Um amigo de Brasília, que esteve aqui alguns dias antes, achou que eu estava bem na escola e na profissão, mas saiu preocupado com minha solidão. Eu contestei, argumentei que tinha muita gente conhecida, mas dentro de mim fiquei assustada. E admiti que me sentia só, sem um referencial afetivo, sem

amigos que preenchessem o espaço. Reconheci sensações de angústia, desconforto, abandono. E confessei que às vezes costumava chorar.

A primeira dificuldade que Lúcia enfrentou em São Paulo foi a diferença de linguagem, até nas menores coisas.

> Eu dizia carteira de identidade, pediam meu R.G. Eu tentava comprar fecho ecler, quando teria de pedir um zíper. Falava de meio-fio do passeio, que aqui se chama guia da calçada. E ninguém entendia por que eu vinha estudar em São Paulo, se o ensino de Minas é tão bom.

Nos primeiros dezoito meses de São Paulo, Lúcia foi morar na pensão de uma mulher austríaca, de nobreza decadente, que vivia no mundo dela, com indisfarçáveis críticas à vida dos brasileiros. Na mesma casa havia um bancário português, aluno de pós-graduação da Fundação Getúlio Vargas e de difícil relacionamento. Ela resolveu alugar um apartamento.

> Foi uma dificuldade encontrar o apartamento e, pior ainda, conseguir fiador. Salário não adianta e, sendo de fora, nada valia o comprovante de rendimentos. Outro problema foi montar a casa, porque era obrigada a comprar tudo à vista. Sem referências em São Paulo, não podia abrir crediário.

O pequeno apartamento de Perdizes, com seus móveis e vasos de flores, é uma experiência nova para Lúcia Ribeiro. Em Belo Horizonte, ela vivia numa casa cheia de gente — ela, o pai, oito irmãos e um punhado de sobrinhos, num bairro onde todo mundo se conhece. Apesar disso, não quer mais sair de São Paulo. Depois do anúncio no jornal e da reação imediata de 370 pessoas que correram em seu socorro, trazendo solidariedade e lições sobre a cidade que antes ela não seria capaz de imaginar, aprendeu que solidão é um problema que se pode superar.

Mesmo sem perder a saudade das coisas que ficaram em Minas.

TRECHOS DE CARTAS E **da solidariedade que Lúcia recebeu:**

1

Ao ler a reportagem (muito interessante, por sinal) ao lado de seu anúncio, notei-o e me interessei. Acho que sua solidão é igual à de outros milhões de paulistas, que vivem juntos, andam juntos, mas não se conhecem. Eu sou um deles e não me envergonho de dizer. Não sei se sua carta foi uma brincadeira, é possível. De qualquer forma, não posso deixar de expressar o meu contentamento em ver a coragem de uma pessoa como você.

2

Seu anúncio me chamou muito a atenção. Não pelo assunto — pois a solidão é bastante comum nesta cidade — mas por sua coragem de se expor e de tentar solucionar seu problema. Como você procura amigos, gente pra bater papo e trocar ideias, que tal a gente se conhecer? Eu moro só com minha filha de dois anos — que é um barato — e gostaria que você me conhecesse.

3

Solidão? Não me acomodo não, procuro fugir... só que uso outros meios, o seu modo é muito original para a minha cabeça. Solidão é um negócio tão complicado, tão sufocante que não se pode exprimir com palavras. Dá uma sensação de abandono. A sua é fácil. Basta fazer amigos. A pior delas, pois se manifesta em muitas fases, é a solidão em grupo. Não é o seu caso. Você deve ter recebido uma infinidade de cartas. Para respondê-las, não haverá por algum tempo espaço para solidão. Não sei se leu, o seu anúncio foi motivo de debates por uma igreja, não sei qual no momento, cujos membros iriam discutir ou analisar o seu pedido de *help*. Você já virou notícia. Há muita gente preocupada com você. Inclusive eu.

4

Posso ser um de seus amigos, quem sabe possamos curtir nossa solidão juntos. Dizem que as pessoas livres sofrem eternamente de solidão, e estou plenamente de acordo com isso. Esta Pauliceia Desvairada é realmente um fim de mundo. Precisa-se adaptar a ela. Não é tão fácil, porém não impossível. Não fique no anonimato! Apareça, apresente-se à cidade, talvez ela possa acolhê-la melhor.

5

Fiquei impressionada com seu anúncio. Realmente acredito que a pessoa que está só, não por sua própria opção, mas por circunstâncias adversas, à revelia de sua vontade, deve sentir-se mesmo em desespero, conforme captei na sua mensagem. São Paulo talvez pareça mais terrível, uma verdadeira selva de concreto, para quem aqui aporta sozinha como você. Entretanto, minha amiga, (posso chamá-la já de amiga?) é só à primeira vista, pois lhe garanto que muitas pessoas aqui também aportadas irão, como eu, lhe escrever. E aí você vai ver a legião de solidários que se fará à sua volta. Praticamente aqui também estou só. Sou desquitada, tenho quatro filhos... Embora haja uma pessoa em minha vida, optei por ficar só, morar só, sobreviver com os próprios recursos, pois senti que, tendo conquistado um espaço meu, eu não deveria mais abrir mão dele, para a preservação inclusive de minha individualidade. Você, como boa mineira que deve ser, pode até não concordar com meus pontos de vista, mas saiba que sou uma mulher respeitada, honesta, digna, com um ambiente social muito bom, moralmente equilibrada e que neste momento se propõe a ajudá-la, para que você saia desse desespero em que se encontra por estar sozinha.

6

Você não está só. Deus está contigo. Em minha solidão de domingo, peguei no jornal o seu apelo. São Paulo é realmente uma cidade fria e desumana, como todas as grandes capitais. Sou casada, tenho filhos adolescentes e também me sinto muito só. Quando você quiser, venha até mim para batermos um papo e amenizarmos a nossa solidão. Achei muito bacana a sua coragem de publicar o apelo, pois a maioria das pessoas está só e não quer admitir para os outros que está só e que precisa de amizade e calor humano. Conte comigo.

7

Confesso-lhe que me comovi com a confissão pungente contida no anúncio de sábado, de 18.9.82, em *O Estado de S. Paulo*.

A sua solidão, mais espiritual do que física, em face das contingências e pressões do mundo moderno, aturde a quase todos, parecendo ser uma contingência do progresso e do volume de interesses conflitantes ou antagônicos de nossa época. Também sou mineira, não bem na sua situação descrita no anúncio, mas, mais ou menos assim. Talvez daí a minha solidariedade espontânea e sincera. Você pede por favor, por ajuda, pois chega quase ao desespero. Quer conversar, quer pessoas a seu lado, socorro para essa solidão indefinida que lhe atormenta. É por isso que lhe escrevo. Contudo, em face da mania de "pesquisas e estatísticas" que infesta o tempo presente, em busca de mídia, publicidade, *marketing* etc., chego mesmo a "desconfiar" da sinceridade do texto. É inusitado, pelo veículo em que foi exposto e até pela precisão e ordenação de suas palavras. Contudo estou presente, como muitos que se contactarão com você, em solidariedade... como na estorinha fílmica do "Balão Vermelho".

8

Li o seu apelo... vindo-lhe dizer que "solidão" todos nós sentimos e quase todo mundo sente. Problemas, quem não os tem? Temos que reagir, procurando amenizá-los. Se você não conseguiu arranjar conhecimento e amigos em São Paulo, vai demorar um pouco, mas você conseguirá com paciência, pois realmente o paulistano é muito seco e sem muita comunicação, diferente de nós, mineiros, que gostamos muito de amizades novas. Também eu às vezes sinto solidão, se bem que seja casada e tenha marido, mas que não gosta de prosa, preferindo o silêncio, sua televisão ou a leitura.

9

Li seu apelo no *Estadão*. Não entendi bem o porquê de tanta solidão e qual o motivo de sua vinda, o que, aliás, não me diz respeito. Pelo visto, você tem recursos, já que se dá ao luxo de morar só. Mas por que não procura uma amiga para repartir o apartamento? Será que entre suas colegas de serviço não há uma pelo menos que deseja dividir com você? Além disso, procure na sua paróquia um lugar na comunidade, sempre precisam de alguém para ajudar, e é se dedicando ao próximo que você poderá realizar-se. No Amparo Maternal, há dezenas de moças que poderão ajudar você, enquanto você as ajudará, e muito. Às vezes, alguma moça que trabalhe fora e precisa de um quarto para dormir e fará companhia à noite e nos feriados. Comece a frequentar os concertos matinais, faça passeios turísticos e se interesse pelos problemas de sua colega de trabalho. Abra seu coração e terá um milhão de amigos, para melhor poder cantar, como Roberto Carlos.

10

Aqui estou lhe oferecendo minha amizade. Sou gaúcha e estou em São Paulo há nove anos e sei como é difícil a adaptação. Quero te oferecer minha casa e te receber com muito carinho... Não somos ricos, mas temos muito amor para dar. Não desespere e pode contar com duas amigas...

11

Você está sofrendo do mesmo mal que eu. Depois que enviuvei, há três meses, tenho feito todo o possível para livrar-me da solidão que, a cada dia, é mais abrangente. Nada tenho a oferecer a você, a não ser meu carinho e minha compreensão. Moro em companhia da filha e do genro. Mesmo assim sou um solitário.

12

Um dia, também nós estávamos talvez na mesma situação que você se encontra hoje, solitários, sem amigos, navegando num mar sem destino e agitado. A nossa vida estava presa a um fio. Não tínhamos mais razão de viver. Foi aí, quando não tínhamos mais a quem recorrer neste mundo, apelamos a uma pessoa muito especial que até então não conhecíamos. Essa pessoa nos atendeu, curou nossas enfermidades e deu-nos uma vida nova... Essa pessoa que conhecemos foi Jesus Cristo.

13

Espero que minha cartinha te ajude um pouco nesta solidão. Pois sofro deste mesmo mal que é tão horrível, não há mal pior e palavra tão feia que a solidão. Mas, bola para frente, minha amiga. Vou te contar um pouco da minha vida, que não tem sido nada fácil. Não tenho família aqui; só o marido... Não sai comigo, vivo trancada em um apartamento, essas quatro paredes estão me levando à loucura, já teve dias de pensar até em me matar. Mas na hora faltou coragem, pois sou muito covarde. Há anos que vivo neste sofrimento terrível. Você ainda teve coragem de pôr a público sua solidão, mas eu não tenho. Solidão é pior que cadeia, solidão só se compara com o câncer. Vivo muito vazia por dentro e por fora. Mas também eu teria tanta coisa para transmitir às pessoas! Mas, quando nós precisamos, ninguém nos escuta, é tão pouca a ajuda! Minha amiga, coragem, que depois da tempestade vem a bonança. Quero ser sua amiga, espero contar com você, mineirinha.

14

Dia 16 li no jornal o anúncio sobre a "mineirinha solitária" de Belo Horizonte; assim decidi escrever-lhe. Será que você tem preconceitos? Pois sou uma garotinha de apenas treze aninhos e pelo fato de não ter especificado se desejava receber cartas só da Capital, então me pus a escrever-lhe. Sempre sonhei residir em cidade grande, igual São Paulo e Rio de Janeiro. Encantava-me a ideia de curtir: *shows*, musicais, peças teatrais, apresentações de balé, feiras de artesanato, torneios esportivos, corridas de cavalo, palestras sobre política e saúde, praias e especialmente visitar lojas de alta moda etc. Para mim São Paulo e Rio de Janeiro eram um sonho, mas ultimamente tenho percebido desabafos iguais ao teu. Começo percebendo que vida nas grandes cidades não é o mar de rosas idealizado por mim. Acho que posso calcular o teu grilo, pois na minha infância estudei interna em colégio de freiras... muito jovem vi-me sozinha num mundo desconhecido onde tudo parecia oscilar ao redor. Realmente não é agradável a "famosa solidão" que muitos têm o privilégio de conhecer...

15

Mineira solitária, que pode ser: Maria, Sônia, Anita, Margarida, Cristina, Tereza, Beth... Menina, não fique tão triste. Afinal, São Paulo pode parecer fria, desumana, onde as pessoas estão mais interessadas na própria sobrevivência do que na sua história. Mas tem muita gente boa e amiga. Nós somos amigos. É difícil chegar até as pessoas que precisam da gente, mas não impossível. Por isso, eu resolvi escrever. Talvez agora você tenha tanta carta de tanta gente que seja até incapaz de responder à minha carta. Mas eu só queria te dizer que os paulistanos não são tão insensíveis...

16

Atendendo ao seu apelo publicado pela imprensa local, aconselho a arrumar um cachorro. Não esqueça, o cachorro é o melhor amigo do homem.

17

Acabo de ler o seu anúncio em O *Estado de S. Paulo*. O que é isso, minha cara? Uma cidade tão grande como São Paulo, cheia de calor humano, vida e alegria, e você coloca-se como solitária? Em verdade, creio que a única culpada é você, pois basta dar um pouco desta personalidade forte que tem (visto o seu anúncio) aos outros e verá que não irá faltar-lhe companhia, seja homem ou mulher. Confesso que fiquei atônito, daí responder-lhe em seguida. Acredito que lhe está faltando um pouco de orientação, a respeito de como sobreviver nesta megalópole em que ambos vivemos. Se assim o for, coloco-me à sua disposição um papo-furado...

18

O seu grito de desespero nas colunas do *Estadão* me penetrou até o fundo da alma. Sei por experiência como é tenebrosa e desesperadora a solidão. Nascemos para conviver uns com os outros, para trocar ideias, para sentir o calor humano que aquece a nossa alma como o sol aquece o nosso corpo. Por isso, compreendo o estado em que você se encontra. Conte comigo e, se necessário, com meus colegas aqui do escritório.

19

Resolvi escrever, pois você está numa situação idêntica à minha, sem ninguém, completamente sozinho. Sabe, eu sou um rapaz muito solitário e a minha vida é apenas trabalhar, de segunda a sábado. E domingo ficar em casa descansando, pois não tenho nenhum amigo ou amiga para sair. Olhe, eu também vim aqui, do interior, e já faz alguns anos que estou aqui, mas nem por isso encontrei um colega, pois numa cidade grande parece que é mais difícil fazer uma amizade sincera. Sou de falar pouco, então acho que é muito mais difícil encontrar alguém que queira ser amigo ou amiga, portanto vivo numa solidão incrível e isso está deixando-me muito complexado e às vezes acho que eu nem existo, às vezes chego a pensar em fazer alguma loucura...

20

Como fazemos todos os dias, eu e minha amiga estávamos lendo o jornal, quando lemos seu triste apelo. Afinal, a gente está tão acostumada a ler desgraças nas páginas dos jornais... Assim, resolvemos escrever. Pelo menos, pode te levantar o astral. Olhe, a gente sabe que começar de novo em uma cidade grande, principalmente como São Paulo, é tenebroso. Ainda mais para quem provavelmente veio do interior de Minas. Mas, olhe, não desanime. Apesar (ou por causa) de tudo, São Paulo é um sarro. Basta você começar a "ver" as coisas por aqui, sem se sentir coitadinha e só, mas procurando se entrosar nelas. Você já deu o primeiro passo, e não foi difícil, foi? O povo paulistano é muito bom, é claro que com exceções, e temos certeza de que em breve você fará mil amizades...

21

Quando fui comprar jornal eu estava pensando comigo que nunca havia sentido falta da família como estava agora. E, lendo o jornal, encontrei seu apelo e me identifiquei com ele. São Paulo é uma cidade maravilhosa, mas a falta de tempo em que as pessoas são obrigadas a viver faz com que elas se separem das outras. A solidão hoje começa a me atacar: fui ao cinema, durante a semana inteira, li vários livros, revistas, jornais, saí com amigos, mesmo assim nada foi resolvido. Entendo seu problema, vivo com ele. Os apartamentos nos deixam mais sós ainda. Mas o desespero não leva a nada. Sabe o que pretendo fazer para sair desta solidão? Participar de excursões de fins de semana, grupos jovens religiosos, dar meu apoio ao pessoal aflito que vai ao CVV (Centro de Valorização da Vida), sei lá. Escrevendo, eu também fujo da solidão, você não acha? Como é o seu nome?...

22

Tomei conhecimento do teu anúncio não diretamente pelo jornal, mas pela transposição sobre o vídeo do Canal 13 de tuas palavras. E, se o texto original era tristemente bonito e emocionante, na TV ficou muito mais. Fez com que eu "acordasse" da rotina, parasse pra pensar, me emocionasse e te escrevesse. Mineira, gostaria de te dizer (e talvez você já tenha descoberto isso) que a cidade não é tão fria assim, tão desumana. Está cheia de pessoas como você, como eu, que apenas não têm a coragem que você teve de gritar para os outros que estava só e que precisava de amigos. E não me refiro apenas à tua solidão de ser e estar só, mas também à solidão de ser só ao lado de muitos — momentos em que, apesar da família próxima, o vazio do ser essencialmente só, pesa, oprime, sufoca...

A QUEIXA NÃO É *explícita, mas os sintomas da solidão são latentes, ela está presente por toda parte. A psicóloga Ana Maria Lenzoni, onze anos de experiência em terapia em São Paulo, acha que não adianta fugir para o interior, pois o problema não é só das cidades grandes.*

> Essa doença é do ser humano e é menos doença dele do que da sociedade. É o medo de dividir essa angústia com os outros. Por que não consigo dar um bom-dia, sorrir, responder a uma pergunta? O homem está metido numa engrenagem cada vez mais complicada, um quebra-cabeça que não tem mais lugar para todos. Um velho, por exemplo, se quiser se encaixar nele, não encontra um espaço.

Ana Maria tem observado que as pessoas que sofrem de solidão já começam a melhorar pelo simples fato de falarem dela. Não precisam nem ouvir nada. Chegam ao consultório do terapeuta, descarregam a alma durante cinquenta minutos e saem aliviadas.

O homem comum, bem estruturado na vida, chega aos 35/40 anos, olha para trás e decepciona-se: não vê nada. Está longe do prazer da vida, do prazer no sentido amplo, lúdico:

> Mas ninguém fala de seus fracassos, como não fala também dos sucessos. A solidão está entre o medo e o prazer. O medo de falar, de se abrir, torna o homem mais solitário. No entanto, quando as pessoas se encontram, por exemplo, numa terapia de grupo, descobrem que todas têm os mesmos problemas e chegam à conclusão de que a sua "loucura" não existe. A solidão

> *não depende de quadros nosológicos, de doença. É uma consequência da sociedade em que vivemos.*

Ana Maria diz que a mulher vem experimentando, de maneira especial, essa solidão nascida da estrutura social moderna. Aos quarenta anos de idade, ela vê os filhos criados, a casa funcionando, o marido trabalhando, e não encontra o seu lugar. Se vai trabalhar, tudo aquilo que fazia no lar (casa, marido, filhos) deixa de ser o centro de sua vida. E aí surgem os problemas.

> *A mulher é lesada, como o homem também é. Tem-se então a solidão da mulher jovem e do homem jovem. Como compor o casal? A mulher não é mais mulher no sentido tradicional, é um homem, enquanto ocupa papéis semelhantes ao dele na sociedade. Aí a criança dança. Acho que tem de existir o movimento feminista, mas acho também que com ele a mulher perde muito dela, perde o feminino. Nessa luta, a mulher tem de concorrer de igual para igual, mas sem perder as características femininas, sua riqueza.*

A solidão nascida da sociedade moderna, segundo Ana Maria, faz o homem destruir valores que ele não sabe substituir. Acaba, por exemplo, com o casamento e não tem o que colocar no lugar dele. Tenta-se então reconstruir a mesma estrutura com pessoas diferentes e a consequência é a repetição do desastre.

Quando os adultos se isolam em casa, numa solidão a dois, os filhos sofrem as consequências. As crianças vão se fechando, não brincam mais, tornam-se introspectivas, deixam de ser criativas. Os pais precisam estar bem com elas, mas para isso têm de aprender a encontrar-se, a estar bem consigo mesmos.

3
Parecem felizes. Queixam-se de solidão

UMA DAS ALEGRIAS DE TOMÁS É O TRABALHO QUE OCUPA a maior parte de seu tempo. Se não fosse ele, seria ainda mais difícil suportar a falta de Dora, que morreu em janeiro, abrindo um vazio imenso em sua vida. Vazio que Cida, viúva há vinte anos, até hoje não foi capaz de preencher: toda madrugada, ela sai do emprego rezando e chorando, tamanha é a saudade de uma felicidade que não volta mais. O Brasil tem 3.811.580 viúvos (censo de 1980), homens e mulheres que, ficando sozinhos, não pensaram em casar de novo.

Mas há pessoas que se separam porque querem, desfazendo uniões que não deram certo. Na região da Grande São Paulo, há mais de 500 separações por dia e, em todo o Estado, já existem 467.542 separados, item que inclui também divórcios e desquites. Mais de 1,7 milhão de brasileiros vivem sozinhos, 326 mil no estado de São Paulo. Muitos deles são vítimas da solidão que Maria Tereza enfrentou. Ela acaba de abandonar o marido e os filhos, depois de trinta anos de casamento, porque não tinha mais diálogo em casa.

Quem vive só está mais sujeito à solidão, mesmo que não leve às costas o peso de uma união desfeita. Antônio, homossexual de trinta e cinco anos, chora de tristeza quando se recolhe a seu apartamento, descarregando uma angústia de que os amigos seriam incapazes de suspeitar. Mas não é preciso morar sozinho: Cristina, uma moça bonita de vinte e três anos que tem a companhia dos pais, costuma passar os fins de semana bebendo e chorando, sentindo-se irremediavelmente solitária, desde que perdeu o único amor de sua vida.

Na madrugada de 6 de fevereiro de 1982, aos trinta e cinco anos de idade e vinte e dois de solidão, Antônio tentou o suicídio pela terceira vez. Ele estava vestido de palhaço, o copo com os envelopes de comprimidos ao lado da cama, desmaiado. Um amigo chegou a tempo de salvá-lo. Era o fim de uma grande festa: 2 mil pessoas à porta do restaurante, os dois recepcionando os convidados — ele com sua máscara de alegria, o sócio com uma roupa de mágico.

> Quando o pessoal foi embora, botei o bolero de Ravel na vitrola, enchi o copo e comecei a soluçar. O que aconteceu depois eu soube só no dia seguinte, acordando da ressaca para a vida.

Vinte e dois anos de solidão. Aos treze anos de idade, menino no bairro de Perdizes, ele vendia ovos para ajudar a mãe, operária de fábrica. O pai perdia dinheiro no jogo, a irmã mais velha trabalhando, a caçula crescendo no porão. Foi nessa época que Antônio descobriu o que confessa agora: era homossexual.

> Eu já era então muito gordo e isso me afastou das pessoas, fez com que eu me isolasse. Foi determinante, pois já era um menino triste. Passei por várias experiências que ficaram todas no vazio. É um problema sério do homossexual não conseguir resolver o seu

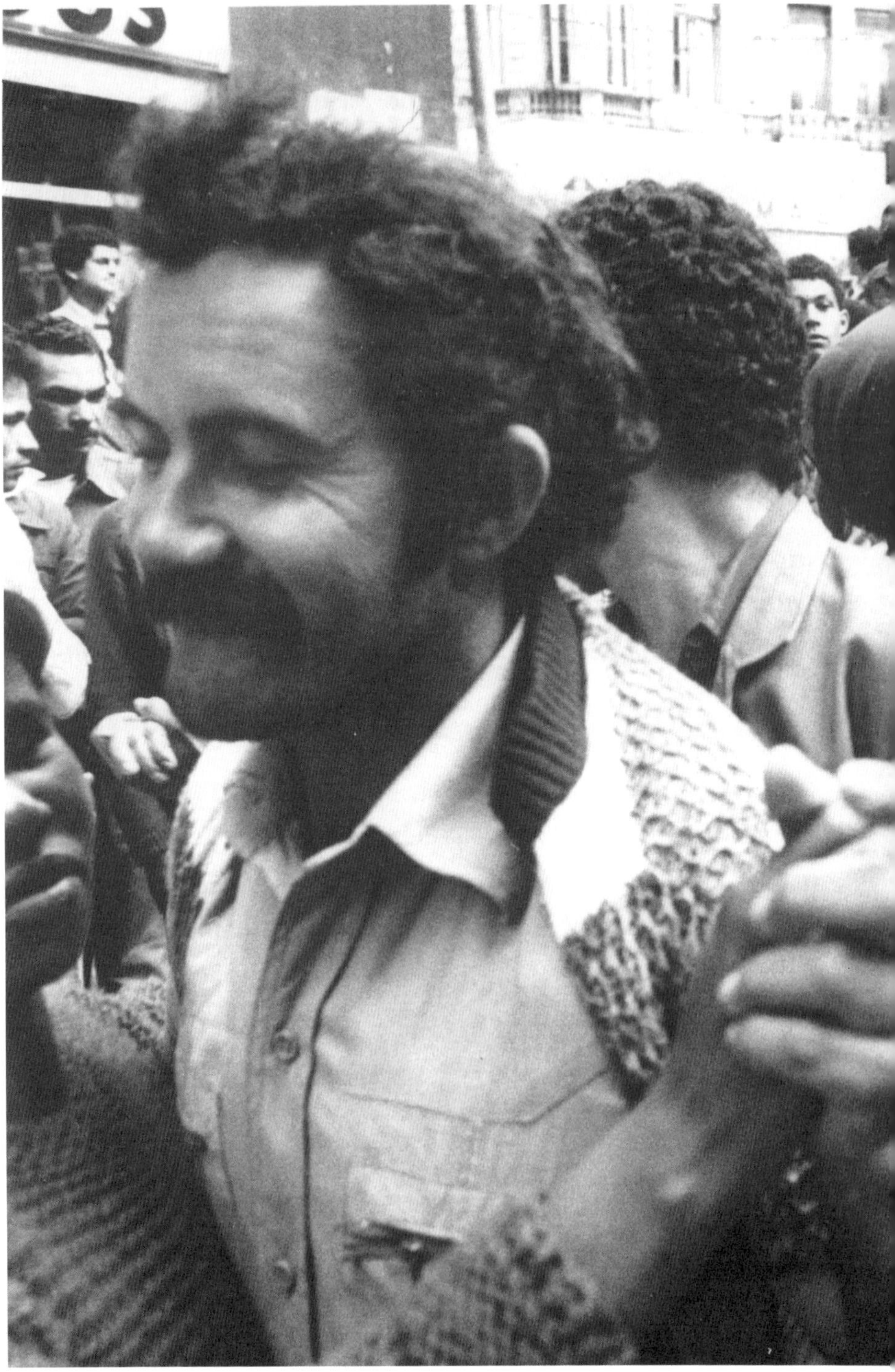

Foto: João Pires

prazer ao lado de uma pessoa amada. Outro é esse negócio de viver em guetos, o que eu sempre fiz questão de evitar. O gueto leva à superficialidade. Parece que estão todos unidos, mas na verdade estão é fugindo da solidão. A maioria dos homossexuais, talvez uns 90%, é do tipo "bicha louca", que vive a serviço de um sistema: camisas bem passadas, pulseiras, mas um vazio muito grande. Esses vivem para o belo, a imagem de Apolo, sem a menor preocupação social. Não estudam, não se aperfeiçoam.

O movimento estudantil de 1968 isolou-o ainda mais. Antônio sofreu a pressão da esquerda, para a qual o homossexualismo era um pecado, anormal. Ele tinha vinte e um anos, nenhuma estrutura, nenhum amigo. Foi no Natal desse ano, duas semanas depois do AI-5, que atravessou uma das maiores crises de sua vida. Festa e alegria nas casas, ele e um grupo de amigos amargando a solidão na calçada.

Em 1970, ficou noivo de uma psicóloga. Podia fazer o que muitos homossexuais costumam fazer, esconder o seu problema na companhia de uma mulher. Antônio não teve coragem, rompeu o noivado vinte dias antes do casamento. E decidiu ser *hippie*, mochila às costas, pelas estradas do Brasil. Ficou um ano no Norte, onde descobriu outra realidade: mais repressão, até risco de vida.

> Transei com motorista de caminhão por uma carona ou um prato de comida.

Nenhuma satisfação, o vazio da solidão continuando. Outra vez em São Paulo, fez teatro, ganhou prêmios, reagiu, abriu um restaurante que logo foi sucesso. Lá, é a alegria da casa. É um sujeito de muita criatividade, sempre há novidades no programa, nunca uma noite é igual à outra. Quando fala de solidão, ninguém acredita.

> Mas eu choro muito. Procuro discutir o que é solidão, não sei definir. Eu vou morrer com ela. Não por opção de vida, mas, talvez, por acomodação. Fugi de um gueto, caí em outro — o restaurante, que é o eixo da solidão no centro de São Paulo. Para mim, a solidão é uma doença que mata mais do que o câncer. Mas as pessoas fogem desse tema com medo.

Antônio acredita que solidão é um problema geral, não existe só em São Paulo. Atinge todas as classes, está no meio da multidão, faz sofrer casais que, aparentemente, vivem bem. A TV, em sua opinião, contribuiu para ela, "a máquina do fascínio que isola as pessoas". Quermesses, bandas, movimento de rua, o convívio comunitário são coisas que abrem comportas, mas não resolvem.

> E é no fim de ano, nessa época do Natal, que a solidão bate sobre a cidade. O Natal vem como um rolo compressor. Há suicídios nos apartamentos e soluços sobre as mesas dos bares. É um processo de amargura, uma festa triste para muita gente. Isso não acontece na passagem de ano, sei lá por que, talvez renasça nas pessoas a esperança de uma vida nova.

Este ano, Antônio decidiu não comemorar o Natal em São Paulo. Vai fechar o restaurante e fugir para o silêncio de Monte Verde, uma estância das serras de Minas Gerais.

QUANDO SE DESCOBRIU A doença de Dora, um câncer irreversível, ela e Tomás começaram a se preparar corajosamente para a separação. A coragem vinha de sua fé em Deus e do amor de vinte e sete anos de casados. As duas filhas, que naquela época estavam noivas, acompanharam tudo, mas não interromperam a rotina da vida. Dora queria que todos os planos continuassem. Na comunidade eclesial de base, ela anunciou aos amigos que partiria em breve para a casa do Pai.

Tomás e Dora conversavam sobre a morte, preparavam-se para ela — o que não impedia que fosse assim mesmo triste e dolorosa. Dora chorava muito no seu sofrimento, mas não perdeu a coragem. Em janeiro desse ano, as filhas casadas, ela partiu. Foi então que a vida de Tomás começou a mudar. Agora, quando vai falar de Dora e do vazio que deixou, ele descobre a solidão que invadiu sua casa.

Primeiro Tomás acha que solidão é só saudade, a falta que está fazendo o bem-querer de uma criatura que passou tanto tempo a seu lado.

> O bem-querer de uma esposa é um bem-querer especial, impossível de ser substituído. A benquerença dos filhos e dos amigos conforta, mas não resolve. Nosso amor era um amor plantado, como uma árvore que vai crescendo cada vez mais. Dora ficou doente dois anos, o tempo que a gente teve para se preparar conscientemente. Foi uma partida dolorosa, mas preparada e meditada.

Tomás sente a falta de Dora e tenta racionalizar: "Daqui a pouco a gente também vai", ele pensa, buscando forças na ressurreição que Cristo lhe promete. Quando a solidão começa a pesar, observa que é só uma circunstância de lugar e tempo, que depende da pessoa e pode ser até uma coisa boa para a convivência consigo mesmo. Um dia, Tomás surpreendeu-se assoviando no escritório. Parou e pensou: "Graças a Deus, eu trabalho".

Tomás já admite que a morte de Dora transformou sua vida:

Pouco paro em minha casa, eu que era um sujeito caseiro. É o vazio, a falta de convivência. Percebeu que ela está fazendo falta: no trato da gente, das plantas, da casa toda. Até a poeira se percebe. Entro e sinto falta até do silêncio dela, de apenas saber que ela está ali, no andar de cima. A companhia nem sempre precisa ser uma palavra. Há o ruído quase inaudível, a movimentação da pessoa, a presença dela. Não se tem mais o som ligado nem as pessoas que frequentavam a casa. Mudei meus hábitos: agora chego em casa só para dormir. O resto do tempo, trabalho.

As duas filhas, Derci e Dulce, adivinham quando o pai está triste. Perguntam, tentam ajudar, mas Tomás não é homem de se abrir. Tem bons amigos, mas confidentes não. "Por que vou levar minha amargura aos outros?" — ele pergunta. Sabe que está ficando muito diferente, ninguém diz, mas todos percebem. Não vê mais televisão nem ouve rádio. A casa vazia é um peso. Uma vez, quase meia-noite, foi ver se um amigo ainda estava acordado: queria conversar.

Tomás, que preparou sua casa durante anos, ele e Dora, melhorando e enfeitando coisas até a véspera da sua partida, agora vai morar num apartamento. Em vez de trocar com ele, uma das filhas quis levá-lo para sua companhia. Qualquer uma das duas teria o maior prazer, mas ele recusa.

> Eu jamais quis morar com ninguém. Faço questão de ficar bem perto, mas ao mesmo tempo longe. Nem com os sogros, nem com minha mãe. Não iria então morar com os genros. Preciso da presença e da companhia deles, da sua amizade. Mas morar, não.

Aos cinquenta e cinco anos, Tomás sabe que daqui a pouco será "um senhor de idade". Começar tudo de novo? Não vale a pena. Ele vê os velhos, os que têm e os que não têm ninguém. Reconstruir é muito difícil, quase impossível.

> O amor conjugal se constrói com o tempo. Quando a gente se casa, não sabe se vai dar certo. Descobre-se o amor pouco a pouco.

Quando ele e Dora frequentavam e dirigiam "encontros de casais com Cristo", discutiam a morte e a viuvez. O movimento ajuda a enfrentar a realidade, coloca francamente o problema.

> É preciso inquietar-se com isso. Conversar e debater esse assunto é uma obra humanitária. Mas uma coisa é conversar, outra é viver a situação.

Tomás conhece a solidão do Pantanal do Mato Grosso, onde costuma pescar todos os anos, seu tempo de férias e descanso. É uma solidão curtida, que lava a alma e descarrega as tensões do corpo, uma pausa necessária para quem corre o tempo todo numa cidade como São Paulo.

Dora, que partiu sem conhecer a primeira neta, deixou muita saudade nas filhas, nos genros e nos amigos. Tomás sente saudade dela, certamente mais do que todos. E descobriu que essa saudade, a falta do sorriso e da benquerença de Dora, se chama também solidão.

O MARIDO JAMAIS ENTENDERÁ por que Maria Tereza saiu de casa, abandonando quase trinta anos de casamento, os filhos, um automóvel novo, apartamento de luxo e dinheiro, tudo aquilo que lhe deu, julgando que estava construindo sua felicidade. Quando pediu uma razão concreta, não houve resposta.

Foi na véspera da separação, nesse mês de novembro, que Maria Tereza falou da sua decisão. Na verdade, pegar as malas e partir para buscar uma vida nova foi apenas a tentativa de acabar com uma solidão a dois, que começou havia dez anos, quando já viviam em mundos diferentes.

> Ele é um homem correto, trabalhador, que venceu na vida, aquele homem que se pode chamar de pai de família exemplar. Mas exercia tantos papéis, que acabou se perdendo. Com o correr do tempo, fomos falando duas línguas, não nos entendíamos mais. De fato, foi uma solidão a quatro, porque não havia também diálogo com os filhos.

Maria Tereza partiu para outras coisas, fora de casa, dança, cursos, companhias que entendessem a sua linguagem. Tentou convencer o marido, mas tinha a impressão de ser a intérprete de um cansativo monólogo. Desistiu.

> Aos trinta e sete anos, resolvi não falar mais e tive dois anos de terrível depressão. Recorri então à terapia e descobri que em minha família ninguém se conhecia de dentro para fora. Cada um tinha sua televisão, só se conversava sobre coisas superficiais. Nunca houve uma discussão.

Quando Maria Tereza pediu o desquite, a surpresa. Por quê? O marido não entendeu, mas também não discutiu o problema. Passou a fazer perguntas vagas sobre sua vida, sem aprofundar a decisão. Os advogados assumiram o papel de intermediários entre os dois, para tratar friamente das consequências financeiras.

> Eu tinha meus dias totalmente vazios no apartamento imenso. Meu marido nunca ligou da rua para saber como as coisas iam indo. Há dez anos que eu falo em desquite e, no entanto, nada mudou. Acho que poderá mudar agora. A separação talvez seja boa para ele, vai crescer. Eu, aos cinquenta e dois anos de idade, não tenho muitas chances, mas pior do que estava não vai ficar.

Os amigos que visitaram Maria Tereza numa manhã de sábado, logo depois da separação, ficaram impressionados com a sua felicidade. Parecia outra pessoa, sorrindo de contentamento no pequeno apartamento alugado.

Mas era, os amigos notaram, a alegria de verificar que não estava esquecida. Naquele dia, essa mulher, que havia tantos anos vinha queixando-se de solidão, estava começando a aprender outra vez como viver sozinha.

A MAIOR ALEGRIA DE Cristina é chegar em casa e achar a porta trancada. Sinal de que os pais não estão lá. Então, ela entra, põe um disco, acende um cigarro e deita-se no sofá. Depois, começa a pensar no seu amor e chora. Cristina, vinte e três anos, loura e bonita, está apaixonada e, por causa dessa paixão, há quase um ano vive num isolamento que ela identifica com a solidão.

> O pior são os fins de semana. Como os odeio! Se pudesse, ia trabalhar todo sábado e domingo. Pelo menos, veria a pessoa

que eu amo. Não quero mais nada dela, não espero, quase não nos falamos mais. Mas, pelo menos, eu a veria mais um pouco. Só quero isso.

É a primeira vez que Cristina está contando esta história para alguém. Os pais já notaram que ela mudou, mas não desconfiam de nada. Só não entendem como uma moça bonita e jovem, que tem um bom emprego e a chance de arranjar um bom casamento, pode ser tão solitária.

Cristina chora só quando bebe um pouco. E todas as noites ela toma uma garrafa de cerveja para chorar. Antes de dormir, consome dez cigarros, no escuro da sala, ouvindo sua música preferida. E fica pensando no amor perdido. Solidão para ela são as lembranças do passado, principalmente as lembranças dos momentos agradáveis.

Aconselharam-na a procurar um psicólogo. Mas ela não quer. A solidão que sente (paixão? saudade? depressão?) é uma dor que Cristina curte. Mas sozinha. Os pais não entendem, os amigos não gostam de ouvir essas histórias. Ela acha que não faz nada errado, foi um amor que simplesmente aconteceu.

Na empresa em que trabalha, todos sabem da história de Cristina. Mas ninguém imagina que, atrás do seu sorriso de recepcionista, se esconde uma moça solitária.

UMA VEZ, CIDA CONFIDENCIOU sua solidão a uma amiga. Ela não acreditou. Eram velhas conhecidas, tinham crescido juntas, mas a solidão de Cida foi uma surpresa. A amiga nunca tinha notado. Viúva, cinquenta e dois anos, trabalhando fora, vivendo uma vida normal... não dava para entender.

> Se você me vê, você também não acredita. No entanto, tem noite que eu saio daqui chorando, às duas e meia da madrugada, sozinha nesta cidade de tanta gente. Sou uma pessoa difícil de fazer amizades e meus filhos, os dois casados, moram fora de São Paulo.

Cida divide com outra viúva o pequeno apartamento alugado. Mas as duas raramente se veem. Quando uma chega, a outra já saiu para o serviço. Se querem encontrar-se, é preciso marcar: deixam bilhetinhos ou telefonam.

Há vinte anos o marido morreu, mas Cida ainda pensa nele como se o tivesse perdido ontem. No princípio, parecia até um pesadelo, achava que ele ia voltar a qualquer momento. Cida casou-se aos dezessete anos, quase uma menina, sonhando com uma felicidade que veio, mas não durou. Um acidente arrebentou-o, catorze anos depois. Era quando as coisas começavam a se normalizar, os filhos estavam no colégio.

> Eu choro tanto! A saudade... a gente não deve lembrar o passado, mas eu lembro e choro.

Ela passou alguns anos sem trabalhar fora, mas depois não suportou mais a vida em casa. Visitas, festinhas... melhor arrumar um emprego. Foi ser telefonista.

> O trabalho é tão importante, que não sei o que seria de mim se não trabalhasse fora. Eu queria ver gente e dei sorte. Quando estou aqui, esqueço a vida. Das oito da noite às duas da madrugada, estou ligada ao mundo.

Ao lado dos dois colegas de serviço, um homem e uma mulher, Cida não aguenta e começa a chorar, lembrando a sua felicidade passada, quando tinha dezesseis anos e já era noiva. Ela sente falta, agora, de alguém para conversar, trocar ideias, contar as coisas do dia.

> Morar com uma amiga, por mais que a gente combine, é diferente. Quando chego em casa, de madrugada, com uma vontade louca de bater um papo, sou obrigada a ter todo o cuidado para não acordar a companheira. Ponho os chinelos e não faço o menor barulho. Mas queria era conversar ou ler, para relaxar antes de dormir. As luzes apagadas e as lembranças do dia me lembram minha solidão.

Antes de voltar ao serviço, na noite seguinte, Cida não tem muito que fazer. O apartamento não tem espaço para nada, não dá nem para lavar a roupa. Ela come alguma coisa fora e janta no trabalho. O que fazer da tarde vazia? Cida dá uma volta, bate papo com alguma conhecida, fica à toa.

> É muito difícil uma pessoa sozinha aproximar-se de casais. Às vezes, tento, mas os interesses são diferentes, sempre me afasto. Eu demoro a chegar às pessoas.

Na sua solidão, que só acaba nas folgas de fim de semana, quando vai visitar os filhos, ela queria apenas alguém para conversar. Para ouvir suas alegrias e suas tristezas.

JOSÉ BONIFÁCIO COUTINHO NOGUEIRA, empresário, ex-secretário da Agricultura e da Educação, candidato em 1962 ao governo de São Paulo, estava falando de política e eleições, quando me referi à solidão. Ele parou, interrompeu a entrevista e começou a lembrar-se do homem solitário que foi seu pai, Paulo Nogueira Filho, no exílio de Buenos Aires.

> No último aniversário que passou em São Paulo, novembro de 1937, nossa casa se encheu de gente, mais de 300 pessoas. Meu pai seria um dos homens mais importantes do Brasil, se Armando de Salles Oliveira fosse eleito. Mas veio o golpe de Getúlio e, com ele, o exílio. No ano seguinte, meu pai passou o aniversário sozinho — ele e a família. E eu vi então, pela primeira vez, a solidão de um político.

Muitos anos depois, José Bonifácio teria a sua própria experiência. E ele descreve a solidão que um secretário de Estado sofre, por exemplo, no isolamento de seu gabinete de trabalho, quando se vê obrigado a tomar uma decisão antipática. Os amigos, inclusive os correligionários do partido, afastam-se dele e o abandonam.

> Acontece até de voltarem logo depois, quando se faz alguma coisa que agrada, mas aquele momento é duro. Eu experimentei mais de uma vez, quando ocupei a Secretaria da Educação, no governo de Paulo Egydio Martins.

José Bonifácio imagina que devem ter sido momentos de imensa solidão o instante que precedeu o suicídio de Getúlio Vargas, a renúncia de Jânio Quadros e a derrota do General De Gaulle, quando, em 1969, perdeu um referendo popular.

———

QUEM NÃO CONSEGUE CASAR consigo mesmo dificilmente será capaz de casar com outra pessoa, diz a psicóloga Fiorangela Desiderio, especialista em terapia familiar. Ela dá uma receita para acabar com a solidão, fruto desse desencontro: aceitar o desafio de se olhar e se reconhecer sem medo num espelho, enfrentando a realidade de si mesmo.

> Percebemos que a solidão é, muitas vezes, ameaçadora, porque representa um espelho para o indivíduo, o encontro com alguém de quem ele não pode fugir. A primeira coisa a fazer é promover o encontro consigo mesmo. Só depois disso será possível encontrar-se com outras pessoas, de forma efetiva e eficaz. Inclusive no casamento.

Ela acha que quem é amigo de si mesmo jamais estará só. Estará sempre consigo mesmo, e esta solidão lhe fará bem.

> Muitas pessoas sentem um prazer imenso em passar uma tarde sozinhas, arrumando as suas gavetas. Quando acontece isso, é porque têm o prazer de estar consigo mesmas, de sentir sozinhas as percepções, os pensamentos. É uma solidão agradável de alguém que se encontrou.

A solidão que perturba, aborrece e deprime, segundo Fiorangela, é quando uma pessoa se vê sozinha, mas não está contente consigo mesma. Essa pessoa não está inteira e, sentindo a solidão, tem necessidade de buscar sua outra metade entre outras pessoas. Se não a encontra, continua solitária, mesmo no meio de uma multidão.

Há muita gente que disfarça, quando quer fugir dessa solidão perturbadora:

> São aquelas pessoas que trabalham demais, estudam demais, correm demais. É uma forma de não se encontrarem ou de, pelo

> menos, diminuírem os momentos em que estão sozinhas, em sua própria companhia.

Fiorangela diz que no casamento simbiótico, no qual uma pessoa é extensão da outra, marido e mulher têm dificuldade de separar-se, embora estejam insatisfeitos, porque um vê no outro parte de si mesmo. Quando esta pessoa não se ama, não se encontra, a consequência é uma irritação mútua no casamento.

> O que acontece então? Procuram amantes ou amigos para se queixar e desabafar. Podem até encontrar outro companheiro ideal e partir para outra união, mas isso será assustador, porque a causa do problema — a irritação consigo mesmo — não terá sido resolvida.

O grande mal da solidão, segundo a psicóloga, é o medo, um medo muito parecido com aquele que se tem da morte.

> Muitas pessoas imaginam que têm medo da morte, quando na verdade têm medo é da vida. Têm medo das dificuldades que a morte pode trazer, medo do sofrimento, medo de se entregar e de se encarar. O grande mal da solidão é o medo. Por isso, as pessoas que se procuram e procuram os outros são pessoas corajosas. O medo da solidão é o medo de enfrentar a vida — a vida que se manifesta em relação a outros e em relação a si mesmo.

Esse medo pode arrastar as pessoas solitárias para outros refúgios, como o excesso de trabalho, a bebida e os psicotrópicos. Outras, principalmente entre os adolescentes, se refugiam na violência, que, no entanto, também pode levar à solidão.

4
A SOLIDÃO DOS ELEITOS E DOS CONDENADOS

AS GRADES QUE PRENDEM JOEL E FLORENTINO, DOIS DOS 1.200 condenados da Penitenciária do Estado, significam proteção para o silêncio na clausura de madre Maria Aparecida, a superiora do Carmelo de Santa Teresa. A solidão que pesa e sufoca na prisão do Carandiru é alegria e libertação no claustro da avenida Jabaquara. Mas, imposta como castigo ou abraçada livremente como opção de vida, ela é uma sensação que muitas vezes dói, como acontece com os padres: solitários por vocação, eles chegam à velhice sem nenhuma família e frequentemente sem amigos. Os presidiários prendem a solidão aos limites de sua condenação, as carmelitas buscam nela o clima da meditação, os padres sofrem o seu peso nas casas de recolhimento. Odiada ou querida, a solidão acompanha os seus dias.

A solidão do presidiário Joel Camargo de Lima tem o tamanho de sua pena: vinte e nove anos a cumprir, "um montão de tempo que não dá nem para calcular, nem o horizonte mais próximo". Paulista

O preso mede a solidão

Foto: João Pires

pelo tamanho de sua pena.

de Tupã, eletricista e solteiro, ele ocupa a cela 463, no terceiro pavilhão, quinto pavimento, segundo raio, da Penitenciária do Estado, bairro do Carandiru. Para chegar até lá, seu pequeno mundo de doze metros quadrados, é preciso atravessar oito portões de ferro de controle eletrônico, através de longos corredores vigiados por guardas truculentos, cujo olhar agressivo se confunde com o dos condenados.

Joel morava em Guarulhos, quando foi preso, nove anos atrás, acusado de assalto e latrocínio. Durante todo esse tempo, ele jamais recebeu uma visita. Nem dos pais, nem dos irmãos, ninguém querendo saber dele. Quatro anos viveu na Casa de Detenção, dividindo o xadrez com seis ou oito companheiros. Agora, ele mora sozinho com suas saudades e suas lembranças — saudade do movimento de rua, de gente, de amigos. Não recebe cartas, mas também não escreve para ninguém.

Joel, trinta e sete anos de idade, será um velho quando sair dali, se não conseguir unificar os processos para reduzir mais a sua pena, que já foi de quarenta anos e caiu para trinta e oito anos, dois meses e onze dias. Ele tem todos os números na cabeça, mas não quer nem pensar neles.

> Não adianta, as datas não me interessam. Só me toca o meu aniversário, 20 de setembro. Então, conto para os amigos. Tenho muita amizade, mas os amigos são poucos.

Durante o dia, ele trabalha na fabricação de móveis de cana-da-índia. Católico, às vezes vai à missa da sexta-feira, em busca de calma espiritual, "para aliviar o ambiente carregado". Joel não é de muita conversa, o trabalho é sua distração.

"Nem sempre é bom ficar sozinho, nem sempre é bom ficar acompanhado", esta é sua filosofia, descrevendo seus horários na penitenciária — doze horas fora de suas grades.

A solidão de Joel, que nenhum relógio seria capaz de medir, aperta às 17 horas, quando uma porta de ferro maciço o isola em seu pequeno mundo. Ali na cela, ao lado da cama bem arrumada, ele guarda lembranças de tempos felizes: um presépio de papel, duas estampas de meninas cercadas de flores e gatos, a fotografia da namorada — uma das ex-namoradas esquecidas. Há também um quadro de Nossa Senhora e um dicionário de Português.

Através das grades da janela ampla, ele vê o campo de futebol da penitenciária, o movimento da avenida e o casario da Vila Guilherme. Mas Joel não gosta de ficar olhando para o horizonte da liberdade.

> Não dá para definir a solidão. É um negócio dentro da gente, uma vontade de desabafar sem ter ninguém. O pior é de madrugada, lá pelas 4 horas. Sempre acordo antes da hora de levantar, que é 5h30. Ligo o rádio à noite para ouvir esporte, minha única diversão. De madrugada, o silêncio é demais, não quero saber de nada. Música recorda coisas boas e ruins, às vezes é melhor não escutar.

Joel é corintiano. Sabe de cor a escala do time, mas não pode imaginar como é a cara dos jogadores. Na penitenciária, não há jornais, nem revistas, nem televisão.

> Não conheço Alfinete, Magu, Ataliba nem Casagrande, só sei que fazem gols. O Sócrates eu conheço, porque durante a Copa havia TV no salão.

A última vez que Joel caminhou pela rua foi em 1973. Foi também nessa época que ele viu o Corinthians jogar pela última vez, no Morumbi. Agora, ele acompanha de longe suas vitórias e suas derrotas. Quando o Corinthians ganha ou perde, os presos costumam bater com pratos e vassouras nas portas de ferro de suas celas. De alegria ou tristeza.

QUANDO FUI CONVERSAR COM Florentino Gomes Neto, na tarde de 14 de setembro, ele estava pensando na solidão. Dois dias antes, um domingo, um grupo de moças visitava a penitenciária e Florentino sentiu um vazio imenso, "uma vontade louca de ter uma namorada, alguém para conversar e amar". Contou para os amigos, mas os amigos riram dele.

> A solidão aqui é tanta, que a gente se apega a qualquer pessoa, começa a gostar de qualquer moça que passa, estagiária ou estudante, não precisa ser bonita. E a tristeza aumenta ainda mais quando a gente vê os companheiros recebendo visitas e namorando atrás do balcão, só dando as mãos e beijando na entrada e na saída.

Florentino Gomes Neto tinha vinte e um anos de idade quando foi preso. Agora tem vinte e oito e vai passar ali mais de vinte e dois anos e oito meses, se não conseguir reduzir sua pena à metade — o que lhe daria direito à prisão-albergue. Sua condenação ia a quase 200 anos, mas ele foi absolvido em treze processos. Acusação: assalto à mão armada.

Na cela 312, no primeiro pavilhão, quarto pavimento, primeiro raio, ele mostra uma fotografia do dia em que foi preso, em 1973. Um funcionário da penitenciária olha e comenta.

> Como você era bonito! Se fosse na Detenção, ia ser barraqueiro.

Florentino não acha graça; o funcionário estava falando da exploração homossexual, muito comum na Casa de Detenção.

Baiano de Ibicaraí, Florentino tem pais e irmãos em São Paulo, onde ele começou sua vida de trabalho, engraxando sapatos no bairro do Belém. Trabalhou três anos, sete meses e vinte dias, foi despedido, pulou de emprego em emprego, assaltou. No dia 1º de julho de 1974, respondia ao primeiro de seus cinquenta e dois processos.

Nos sete anos que já passou na prisão, Florentino nunca teve ninguém, exceto a visita dos pais. Os seis irmãos não costumam ir vê-lo com frequência. Mas, quando diz que nunca teve ninguém, ele quer falar de namoradas.

> Escrevo para moças, várias, que só conheço por fotografia. Nunca vieram aqui. Existe a provação do sexo, mas estudo muito e a religião também ajuda. Na Detenção, onde passei três anos, riam de mim, não acreditavam. Deus começou a acontecer na rua, quando eu ficava triste e deprimido, depois dos assaltos. Um dia, entrei numa igreja da Congregação Cristã no Brasil, que é a minha igreja. Eu rezava, chorava e me aliviava. Mas assaltava outra vez. Na cadeia, pensei: tenho de me achegar a outros. Fiquei livre de muita coisa, nunca tive companheira, não foi fácil.

Quando os presos batem nas portas das celas, comemorando os jogos do Corinthians, Florentino perde o sono e vem a solidão. Ele pensa então no sofrimento da prisão — travestis, pederastia, a morte diante dos olhos, a desconfiança dos companheiros, só porque ele tem a amizade do diretor, Floriano Peixoto.

Durante a noite, o rádio é o amigo que lhe faz companhia nas horas de isolamento. Florentino ouve noticiários e lê até as 21h30, quando as luzes se apagam. Ele também não gosta muito de música, que aumenta a saudade do tempo em que tinha vinte e um anos, um emprego, uma casa e até uma namorada.

Na cela 312, Florentino exibe uma coleção de diplomas e certificados. Foi na prisão que ele conseguiu aprender a ler, completar o supletivo de primeiro e segundo graus e estudar para o vestibular. Agora vai tentar medicina. Florentino tem dez cursos do Senac e muita esperança de, quando sair dali, arranjar uma profissão e uma moça que tope casar com ele.[1]

ALGUMAS PRISÕES DE SÃO Paulo, até mesmo a Penitenciária do Estado, têm também celas solitárias, para castigo dos presos que cometem faltas disciplinares. Lá, eles passam dias, semanas e até meses totalmente isolados, num pequeno espaço sem móveis, banheiro, água, janelas e ventilação, numa incomunicabilidade só quebrada pelo carcereiro que entrega a comida por uma pequena abertura na porta. Frei Betto (o dominicano Carlos Alberto Libânio Christo), que passou pela experiência da solitária, dez anos atrás, relata a sua solidão.

> A luz permanecia acesa dia e noite, de modo que eu era obrigado a cobrir os olhos com meias pretas, para dormir à noite. Minha preocupação era evitar a insônia, inimiga da imaginação, da qual nascem os medos e os pecados. Eu tratava de dormir somente à noite e, para isso, preenchia todo tempo do meu dia:

---

[1] Em janeiro de 1983, Florentino fez vestibular para Direito e foi aprovado. Está fazendo o curso na PUC de São Paulo, que lhe deu uma bolsa de estudos.

dava aulas de teologia, filosofia e literatura, andando e falando alto. Os carcereiros achavam que eu estava ficando louco, mas na verdade eu combatia a loucura. Eu cantava, recitava e rezava, sem dar chances à fantasia. Durante um mês e meio, o tempo que passei em duas solitárias diferentes, foi assim. Gostava também de me colocar na presença de Deus, numa oração de quietude, sem palavras, sem imagens, sem pensamentos, algo parecido com a ioga.

Para não cair no desespero da solidão, frei Betto amassava a comida com os dedos e fazia rosários com miolo de pão, aproveitando ao máximo cada minuto. Uma vez, um coronel lhe levou um exemplar de domingo de *O Estado de S. Paulo*. Ele passou uma semana inteira lendo o jornal, linha por linha. O coronel foi sua única visita. O carcereiro que entregava a comida chegava e saía sem dizer palavra.

A SOLIDÃO DE MADRE Maria Aparecida Giannocaro, a superiora do Carmelo de Santa Teresa, na avenida Jabaquara, é uma solidão querida que se mede pela sua vocação. Está fazendo quarenta anos que ela está lá enclausurada, longe do mundo das pessoas, porque escolheu essa vida. Para isso fugiu de casa, abandonando a família e enfrentando, nos primeiros tempos, a ira do pai, que depois fez as pazes com ela. Era uma moça bonita de vinte e um anos.

Quando Maria Aparecida fugiu, sua irmã Rosa era pequena e chorava desesperadamente, como se sua vida tivesse virado um inferno. Agora, Rosa e Mariazinha, as duas irmãs da superiora do Carmelo, têm orgulho dela. Para elas, a madre é uma santa e faz muito bem, isolada em sua solidão, a todas as pessoas que vão lá, em busca de conselhos e orações.

Madre Maria Aparecida é solitária por opção. A solidão é um estado de vida, livre e espontânea, que faz parte da vocação das carmelitas.

> Nossa solidão é essencial para vivermos nossa vida contemplativa, pois precisamos de um ambiente que favoreça. Mas nossa vida não é solitária; é cenobítica também, porque vivemos numa comunidade. Nós rezamos juntas e caminhamos juntas depois das refeições, conversando sobre a alegria do Carmelo. A solidão para mim é alegria.

Se as carmelitas rezam e conversam juntas, depois de comerem juntas no refeitório, o trabalho delas é quase sempre solitário, cada irmã no seu ofício. Uma cuida da sacristia, outra trata do jardim, outra arruma a cozinha. É assim desde os tempos da fundadora, Santa Teresa de Jesus, que morreu há 400 anos. A madre fala dela:

> Santa Teresa viveu essa vida que achava na solidão o céu na terra, porque era um encontro com Deus. Para as carmelitas, solidão não é fuga. O papa João Paulo II acaba de reconhecer o valor dessa vida de clausura e solidão, de silêncio e isolamento do mundo, falando às carmelitas sobre o centenário de sua formatura. O silêncio ajuda a solidão. Mas a solidão material, sem o silêncio interior, não consegue nada.

Madre Maria Aparecida insiste que é muito importante o equilíbrio mental e psíquico para as moças que escolhem essa vocação. São qualidades que devem ficar bem provadas, quando

Silêncio e paz, a alegria da madre

na solidão do Carmelo.

Foto: Reginaldo Manente

se busca o Carmelo. É um equilíbrio que se reflete até no horário de cada dia.

> Aqui não faz diferença, o domingo é igual a outro dia qualquer. As carmelitas se levantam às 4h30, fazem três horas de oração e trabalham mais três. Às 11 horas, oração de louvor a Deus, almoço e recreio de uma hora. Das 13 às 14 horas, solidão e leitura espiritual. À tarde, mais trabalho e de novo uma hora de oração, antes do jantar. Depois de outro recreio de uma hora, temos 90 minutos de silêncio. É uma regra que herdamos de Santo Alberto, que viveu no século XIII. Não é um horário muito equilibrado?

Madre Maria Aparecida conversa pausadamente e sorri. Antigamente, só era possível ouvir a sua voz. Mas agora as carmelitas já abrem a cortina negra em casos especiais e então se pode ver o seu rosto — um rosto tranquilo como os quadros que se pintavam na Idade Média. No Carmelo vivem doze irmãs, que raramente saem de lá. Só em caso de doença grave elas têm permissão para ir ao médico, que em outros tempos as atendia no convento. Uma exceção foi quando o papa visitou São Paulo: as carmelitas saíram para vê-lo. Quando elas saem, viajam em carros fechados, sem o menor interesse pelo mundo cá de fora.

O metrô passa encostado no Carmelo, mas madre Maria Aparecida só tomou conhecimento dele pelo barulho da construção, que perturbou sua solidão. Ela tem ideias muito vagas sobre as invenções modernas: só sabe do rádio, da televisão e de outras máquinas que algumas pessoas contam para ela.

> Avião a gente conhece, porque costuma passar algum aqui por cima e a gente não precisa também desviar os olhos. Às vezes,

as irmãs até dão uma bênção para os passageiros. Mas agora os aviões são raros. Mudaram o aeroporto de Congonhas, não é verdade?

Madre Maria Aparecida Giannocaro veio menina da Itália, que ela jamais teve vontade de rever. Também não quis naturalizar-se brasileira. Na solidão do Carmelo, é uma formalidade dispensável. As carmelitas nem votaram nas eleições de novembro. Não fazem a menor questão de sair de lá.

ENTUSIASMADO COMO UMA CRIANÇA com os recursos e a fidelidade de seu rádio novo, o padre Manoel Carlos, de setenta e quatro anos, recupera-se de um atropelamento, sozinho em seu quarto, na Casa Central dos Lazaristas, no Rio de Janeiro. Ele fala sem parar, mostrando fotografias e lembranças da festa de cinquenta anos de sacerdócio, que acaba de comemorar. Solidão?

> Não sei o que é solidão. Deus Nosso Senhor me deu a graça de não ter o menor apego à família e minha vida é meu trabalho de padre e religioso.

Na parede nua do quarto de padre Manoel Carlos, uma folha de papel: "Lista de nomes e endereços de alguns de meus parentes". Ele tem uma família numerosa, muitos irmãos e dezenas de sobrinhos. E não para de contar caso sobre eles, dando notícia de cada um, por mais longe que estejam.

Um andar abaixo, padre Aristóteles Machado, velho e doente, também se distrai com seu rádio e teima que não sente a menor solidão. Mas faz uma relação das pessoas que "deviam visitar-me e não visitam". Ele se queixa da ausência de amigos que conheceu muitos anos atrás e nem moram mais no Rio.

Padre Alfeu Custódio Ferreira, superior provincial dos padres lazaristas, reconhece a solidão de seus subordinados, mesmo quando eles acreditam que aquilo não é viver sozinho apenas porque se vive em comunidade. Padre Alfeu sabe que existe uma diferença entre uma família de marido, mulher e filhos e uma comunidade em que as pessoas se amam por caridade. Quando ele começa a falar sobre isso, os outros acabam concordando.

"Há muitos solitários disfarçados de místicos", observa o padre Lauro Palú, que já sofreu, num fim de semana em Porto Alegre, uma amarga experiência de solidão. Foi quando acabaram as atividades do domingo — missa, cantos, debates com os jovens — e ele ficou sozinho numa cidade estranha, sem família e sem amigos. Padre Lauro lembrou-se de um poema de Michel Quoist sobre a solidão do sacerdote numa tarde de domingo. É um poema que os padres gostam de citar, quando falam de solidão. Há uns versos que dizem assim:

> Esbarrei nos guris que
> jogavam bola na calçada,
> os garotos, Senhor,
> os filhos dos outros, que
> não serão nunca os meus.
> E aqui estou, Senhor,
> Sozinho
> O silêncio me dói.
> a solidão me oprime.

Mas depende do padre. O vigário da catedral de São Paulo, Dario Bevillacqua, cinquenta anos de idade e vinte e cinco de sacerdócio, acha que a solidão de padre é igual à solidão de todo o mundo.

> Ela pode acentuar-se mais na velhice, mas em minha opinião são as pessoas que se acabam fazendo solitárias. Deixam de cultivar as amizades e a convivência. É importante manter o tempo ocupado e, geralmente, os padres conseguem fazer isso: não costumam aposentar-se antes de setenta e cinco anos. É preciso também saber envelhecer e ser solidário com os outros até o fim. Quem se sente solidário não se sente solitário — isso não é um jogo de palavras.

Padre Dario acha que os ideais monásticos tiveram e têm ainda muita influência sobre a perspectiva do sacerdote, mas acha também que para quem se dedica à pastoral não existe uma nostalgia daquela *beata solitudo* (feliz solidão) de que falava São Bernardo.

> Houve uma reviravolta na espiritualidade que herdamos dos eremitas. Um deles dizia: "Cada vez que estive entre os homens, voltei menos homem". Agora, o padre é um homem no meio dos homens.

Padre Dario admite, no entanto, que existe certo nível de solidão que é inerente à pessoa, uma solidão sem qualquer sentido pejorativo. Ela não é ruim, mas uma coisa que reconstrói.

> Mas o padre pode sentir também a solidão amarga, consequência de outras coisas. Quando, por exemplo, enfrenta o fracasso no campo pastoral. É uma solidão que pesa. O celibato nada tem a

ver com a solidão. Quem se sente só no celibato sentiria solidão também no casamento. Não há muita solidão a dois por aí?

Padre Pedro Arrupe, superior geral dos jesuítas, falou dessa solidão uma vez:

> A solidariedade dos religiosos com aqueles que são realmente pobres será acompanhada de solidão... Sentir-nos-emos sós quando descobrirmos que o mundo dos trabalhadores não compreende o nosso ideal, nossas razões e nossos métodos. No fundo de nós mesmos, sentiremos a mais completa solidão...

Os sacerdotes, como as freiras, costumam encontrar a solidão no fim da vida, mesmo quando vivem em comunidade, ao lado de companheiros de vocação — verdadeiros irmãos — porque se descobrem sozinhos e de mãos vazias. Padre Antônio Gomes, outro lazarista do Rio, dá um testamento:

> Conheço religiosas que, chegando aos sessenta anos de idade, começam a sofrer a solidão, desencantadas com sua vocação. Mas não têm coragem de sair e recomeçar a vida. A mesma coisa acontece com os padres: dão um balanço dos anos de sacerdócio e têm a impressão de um imenso vazio. Alguns pensam em abandonar a comunidade, mas para fazer o quê? O padre é uma espécie de factótum que, na realidade, não tem uma profissão.

A Congregação da Missão (ou dos lazaristas) tem-se preocupado com esse problema. Em vez de mandar os padres velhos para uma casa-asilo, como aquela em que vive agora o padre Manoel Carlos com suas lembranças, a política é deixá-los envelhecer e morrer no ambiente em que trabalharam e viveram. É uma maneira de compensar a solidão de quem não tem mais família e parentes para recebê-lo.

PARA O PSICANALISTA JOÃO Batista Ferreira, *mineiro residente no Rio de Janeiro, a solidão é uma dor. Quando as pessoas que vivem uma vida solitária racionalizam a sua solidão, não sentem essa dor. Se deixam de racionalizar, começam a sofrer.*

> *É o caso da carmelita, por exemplo. Jamais ela vai dizer que está só: diz que está com Deus e com a humanidade. A mesma coisa pode acontecer com um cientista que passa seis meses sozinho, fazendo pesquisas sobre o câncer.*

João Batista concorda que se pode abraçar a solidão por opção, como fazem os padres e os religiosos, que escolhem e aceitam o celibato, renunciando ao casamento para servir aos outros, a exemplo do apóstolo São Paulo. Mas, mesmo nesta hipótese, há necessidade de racionalização. Do contrário, a solidão há de doer sempre.

> *Por que as carmelitas e outras religiosas costumavam usar aliança no dedo, véu de noiva e toda uma cerimônia de núpcias, como se estivessem casando com Cristo? A linguagem da vida consagrada chega a ser erótica, tem a sensualidade dos amantes. Isso não é uma racionalização?*

Mas não é só na vida religiosa, de freiras que se recolhem à solidão da clausura e de padres que se recusam a compartilhar sua vida com uma mulher, que o psicanalista vê a racionalização dos solitários.

> As pessoas não se visitam mais, não se veem. Estamos atravessando um momento de desilusão, sem esperança. Um exemplo: a amizade colorida. Existe coisa mais solitária? Não se pode chamar isso de relacionamento, de compartilhar. As pessoas vivem o egoísmo. "Farinha pouca, meu pirão primeiro", essa é a linguagem de nosso tempo. A solidão é do mundo, não tanto das pessoas, porque estamos numa época de empobrecimento geral. O mundo está sozinho. Quem existe hoje, quais são os líderes de nossos dias? Não vejo ninguém além do papa.

João Batista cita o próprio consultório do psicanalista (e dos psicólogos, e dos terapeutas, e dos psiquiatras) como mais um exemplo de que as pessoas estão perdidas em sua solidão, à procura de alguém para ouvi-las.

> Os clientes me pagam para escutar. Mesmo que eu não diga uma só palavra, minha sala de psicanalista é importante para eles. Agradecem-me simplesmente por ouvi-los.

A solidão é dor e falta. A falta está na raiz de tudo, diz João Batista, lembrando a carestia de bens éticos e morais, parte do empobrecimento geral.

Marcelino ouve o canto do pintassilgo no hospital...

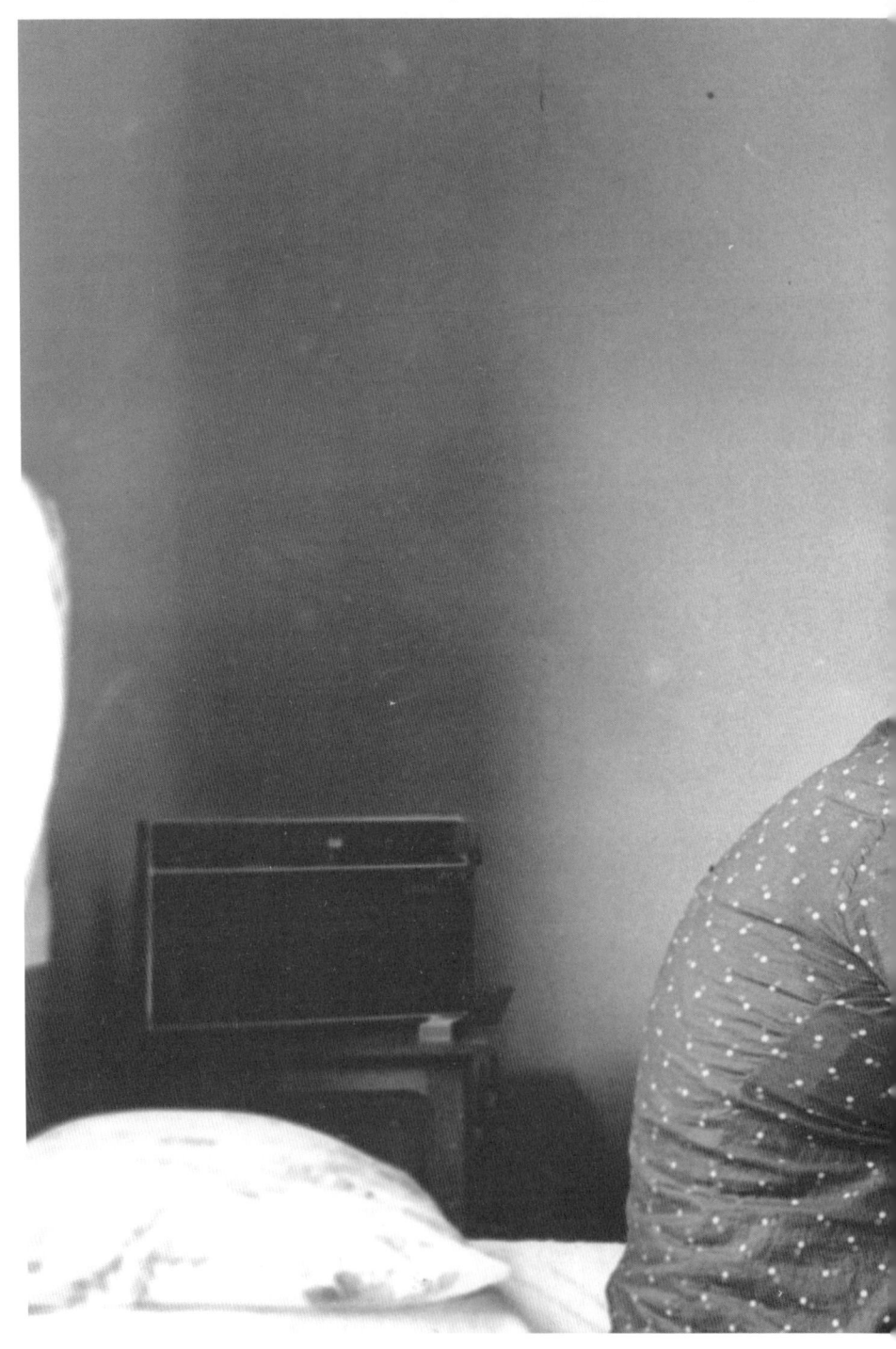

Foto: João Pires

... e Maria brinca com a boneca.

Foto: João Pires

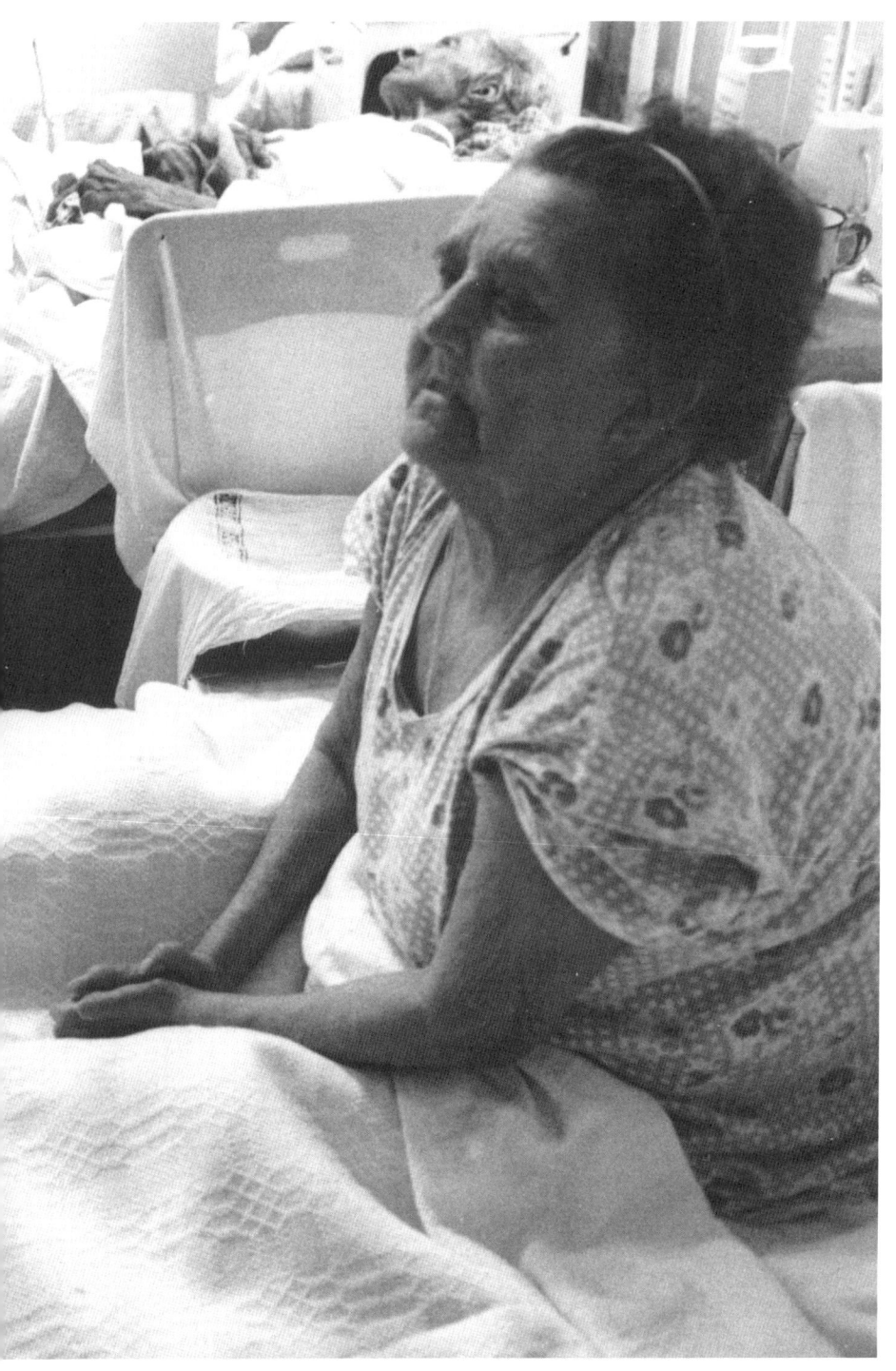

Lembranças do passado.

5
DOENÇA, IDADE? SOLIDÃO É QUE DÓI MAIS

OS HANSENIANOS TERIAM MAIS ALEGRIA SE VIVESSEM COM suas famílias, mas o preconceito social os isola do mundo, fruto de um estigma milenar que a doença deles arrasta, séculos afora, desde os tempos bíblicos. Eles são 180 mil no Brasil, de acordo com estatísticas oficiais que os especialistas multiplicam por três ou quatro, pois a grande maioria não se apresenta aos hospitais, com medo de serem internados à força, como se fazia antigamente. Agora, o tratamento se faz em ambulatórios, não há risco de contágio. Dos 9.720 que passam a vida nas enfermarias, centenas são solitários: os parentes não querem saber mais deles.

E existem famílias — filhos e irmãos — que abandonam também os seus cegos e os seus velhos. Não encontram espaço para eles sob o teto de suas casas e no futuro de suas vidas. Interná-los numa escola especializada, numa clínica ou num asilo pode ser, em alguns casos, a única alternativa, às vezes até para diminuir a solidão dos que ali vão envelhecer ou passar seus últimos dias. Mas, na maioria dos casos, é simples comodismo de quem não quer amolação ou tem vergonha da doença de seus parentes. Hansenianos, cegos e idosos que se escondem em asilos e hospitais tentam disfarçar a solidão e sempre arranjam uma desculpa para explicar a ausência daqueles que os abandonaram. Mas ficam felizes quando recebem a visita deles — mesmo que seja uma vez por ano, como um presente de Natal.

Eles têm os rostos deformados, muitos já amputaram as pernas, a doença consumiu suas mãos, alguns ficaram cegos. Mas não é isso que dói mais. Os hansenianos de Santo Ângelo, em Jundiapeba, município de Mogi das Cruzes, sofrem com as feridas que devoram seus corpos, mas seu drama maior é o abandono que os condenou à solidão. São 550. E, como a maioria dos 3.200 hansenianos que vão terminar suas vidas nos quatro hospitais do estado de São Paulo, muitos deles foram esquecidos pela família. Irmãos, filhos, parentes — até os pais — não reconhecem mais suas faces.

Dona Ida, a doente de setenta e oito anos que sorri triste o seu sorriso de uma mulher que já foi bonita, podia ter voltado para casa há trinta anos, desde que recebeu alta. Mas não a quiseram de volta. No seu quarto bem arrumado, que divide com uma companheira, ela guarda a fotografia do filho que morreu na véspera do Natal de 1954, aos dezessete anos de idade. Não pôde ir ao enterro dele nem ao do outro filho que morreu — e até hoje chora essa mágoa. Os três filhos que lhe restaram costumam visitá-la de vez em quando e são a única alegria de sua vida.

> Se não fosse a saudade dos meus filhos, eu já me teria matado.

Eles eram seis, um tinha apenas cinco meses de idade, quando dona Ida foi arrastada à força para o hospital. Naquele tempo, Santo Ângelo era um "leprosário-modelo" e os doentes eram chamados de "leprosos", uma nomenclatura que o progresso da medicina no tratamento da doença está procurando apagar. Dona Ida se lembra bem:

> Naquele tempo, os doentes eram quase pegos a laço, e foi assim que fizeram comigo. As pessoas fugiam da gente. Uma vez encontrei uma amiga íntima, que não via havia muito tempo, mas ela fingiu que não me conhecia. Foi uma das maiores amarguras de minha vida.

Dona Ida chora muito até hoje. Outro dia mesmo, no domingo antes das eleições, ela chorava de saudade.

> Chovendo lá fora, eu chorando aqui. Mas, para que falar? Ninguém vai resolver nada, porque a solidão está dentro de mim. Minha felicidade é quando meus filhos vêm me visitar, ainda que seja uma vez por ano. Tenho muito medo de eles me abandonarem.

Dona Ida já costurou, tirou diploma em São Paulo, trabalhou muito no hospital. Tudo o que está ali no seu quarto — geladeira, televisão, máquina de costura — é fruto de seu trabalho. Mas agora a vista está fraca e ela não pode trabalhar mais. Dona Ida gostaria de ganhar mais dinheiro, porque está precisando comprar outra perna mecânica e não tem Cr$ 150 mil para pagar.

Na enfermaria dos homens, Benedito Mateus e José Moreira veem um programa de televisão. Eles parecem alegres, estão rindo para aparecer nas fotografias, acenando para os companheiros. Benedito e José Moreira, isolados no hospital por causa de sua doença, são também surdos-mudos. Mas são os doentes que mais brincam com as enfermeiras.

Apesar de tudo, existe alguma alegria em Santo Ângelo. Manoel dos Santos Soares, cinquenta e cinco anos de idade, há nove anos internado, já pensou em solidão, mas agora prefere viver de sua esperança.

> Aqui os doentes mais riem do que choram. Nós nos consolamos uns aos outros. E, se a solidão não é muita, é porque os doentes se consolam. De manhã, a gente já está dando risada.

Manoel é um homem instruído e fala francês. No passado, já foi católico; agora é espírita e no espiritismo busca sua esperança.

> É claro que vou renascer numa vida melhor. Do contrário, Deus não seria justo. Por que eu estou assim doente e o senhor tem saúde?

Mas, se existe mesmo alegria num hospital de hansenianos, ela está no coração do velho Marcelino Ligieri, setenta e cinco anos de vida, cinquenta deles numa enfermaria igual àquela. Há doze anos sua cama está ali no mesmo lugar, pois ele é um sujeito conservador, que ama o seu canto.

Marcelino fala de seu passado, contando como conseguia fugir dos hospitais e ia parar na cadeia, muitos anos atrás, porque não queria viver internado.

> Peguei dois anos de prisão, porque fugi. Mas não convém esconder, não foi só por isso, eu estava armado. Essa história aconteceu em 1937 e, se bobeassem, eu fugia de novo.

Marcelino vai falando e rindo, divertido com suas aventuras. Agora, o rosto castigado pela doença, sem uma perna, as mãos consumidas, ele ouve música clássica no rádio de cabeceira e trata de seu pintassilgo, conversando com ele. Sempre gostou de passarinho e brigou muito para ter aquela gaiola.

"É uma pena prender assim o bichinho, mas o que eu posso fazer?" Marcelino aprecia passarinhos de canto longo, como patativas e pintassilgos, mas ficou também muito feliz no dia em que seu irmão foi visitá-lo e levou um curió de estimação para passar algumas horas com ele.

Mas, atrás de toda aquela agitação, Marcelino também sente momentos de tristeza e saudade. Ele confessa isso, só não sabe se tristeza e saudade num hospital de hansenianos podem ser sinônimos de solidão.

Marita tem esse apelido porque o nome lembrava sua doença: Maria Lázara. Os primeiros sintomas apareceram aos seis anos de idade e ali acabou sua infância. Dez anos depois, ela foi viver no hospital. Católica e filha de Maria, decidiu oferecer a Deus tudo o que lhe restou da vida: o sofrimento. Aos cinquenta anos de idade, tem uma bela voz de soprano que canta hinos religiosos e trechos de Chopin. Duas vezes ao ano, Marita recebe a visita das duas irmãs, que são muito pobres e vivem no interior.

Dona Maria Carvalho chegou a Santo Ângelo há apenas três anos, mas há meio século carrega a sua doença. Quando se pergunta sua idade, ela responde: "São cinquenta anos, mais vinte e dois".

Todos costumam responder assim — primeiro os anos de hospital, depois o tempo que viveram com a família. A exemplo de Marita e de outras internas, dona Maria Carvalho tem uma boneca ao pé da cama. Para as mulheres do pavilhão geriátrico, é a lembrança que guardam da infância que não viveram ou dos filhos que não puderam levar ao colo.

Rosalina Bulara (cinquenta e seis anos mais vinte e dois) foi obrigada a desmamar a filha caçula, que estava com onze meses, quando a internaram à força. Agora, é a filha que dá mais atenção a ela, visitando-a no hospital uma vez por mês.

José Capel, presidente da Caixa de Beneficência, quarenta e seis anos de idade, doente desde os vinte e um, é casado e mora num dos chalés da colônia. É lá que vivem mais de 200 internos com suas famílias — na verdade os casais, pois os filhos vão para creches fora do hospital. Ele fala da solidão de Santo Ângelo:

> Se a solidão aqui não é maior, é porque os tempos mudaram e hoje o hospital tem dezenas de funcionários que entram e saem todos os dias. Sempre trazem notícias de fora. E nós recebemos também visitas duas vezes por semana.

Os doentes falam com entusiasmo das caravanas que vão visitá-los aos domingos. São grupos evangélicos e espíritas que tiram um dia para conversar e cantar com os hansenianos. "E os católicos, onde está o seu cristianismo?" — eu pensei.

A resposta estava ali: a dra. Leontina Margarido abraçando os doentes, rosto a rosto, e o padre Albino Baretta, vivendo há trinta anos no hospital, rezando todos os dias em suas enfermarias. Para os hansenianos de Santo Ângelo, a dra. Leontina não é a diretora do Departamento de Dermatologia da Secretaria de Saúde: é a "menina" que, desde os tempos de estudante, cuida de suas feridas e tenta diminuir a sua solidão.

JOEL PEREIRA DOS SANTOS, trinta anos, chegou ao ponto com sua bengala branca e pediu que o avisassem quando viesse o ônibus de Sacomã. Havia mais de quinze pessoas ali, ele calculou, mas ninguém respondeu. O primeiro ônibus passou, algumas pessoas o pegaram, ele ficou.

> Aí passei dos limites, armei um escândalo. Como é que fazem isso com um cego? Pensam que a gente não sabe que não está sozinho?

Os cegos sentem solidão, e é no meio das pessoas que enxergam. Em outras palavras, "cego só vive bem com outros cegos", como diz o carioca Antônio Passos Soares, sessenta e oito anos de idade, que não vê desde criança. Ele garante que na Associação Promotora de Instrução e Trabalho para Cegos, que administra no bairro do Belenzinho, solidão é coisa que não existe.

Mas alguns dos cegos que trabalham e vivem lá contam amargas experiências. Como no caso de Joel, que não achou ninguém para ajudá-lo a tomar o ônibus, solidão para eles é sinônimo de desrespeito, falta de consideração, desumanidade.

O depoimento de Carlos Abel da Silva, de vinte anos, confirma:

> A gente se sente solitário na rua, mesmo entre pessoas da família. Vidente não dá atenção para cego: olha você como esmoler e até estranha, quando descobre que a gente trabalha. Sou aqui de São Paulo, tenho família, mas prefiro não visitá-la: quando a gente sai, sempre nota certo desprezo. Com os colegas é melhor, para andar na rua ou se divertir aqui.

Na associação, os cegos conversam, ouvem música, jogam dominó e fazem trabalhos manuais. Eles preferem passar lá seus fins de semana, não há diversão para eles na cidade. As vassouras, espanadores, escovas e outros objetos de limpeza que fabricam, eles vendem em barracas de feiras livres e supermercados. Nada de pedir esmolas.

Sebastião dos Santos, que tem cinquenta e nove anos e está na instituição desde 1963, sentia muita solidão até cinco anos atrás, quando arranjou uma namorada e se casou. Os dois só se encontram nos fins de semana, ela vai buscá-lo nas tardes de sexta-feira. Mas quando chegam à sua casinha, em Calmon Viana, ele é um homem feliz.

> Enquanto eu vivia no interior, perto de São José do Rio Pardo, tinha a minha mãe, uma família boa, muita moça, nenhuma solidão. Vim conhecer a solidão aqui em São Paulo. Aqui não existe amigo: quem disser que tem está mentindo. Até o casamento, minha vida era muito triste, principalmente nos domingos, quando ficava muito sozinho. Agora é diferente. Minha mulher tira qualquer solidão e, além disso, tenho meus discos de viola e o culto na igreja, a Congregação Cristã no Brasil. Estou trabalhando aqui, mas o tempo todo pensando na felicidade que são meus fins de semana.

Maurício Tanaka, de vinte e dois anos, também sente a solidão do meio da rua, sempre a experiência da palavra negada, da pergunta que fica sem resposta.

> A solidão existe por toda parte, a gente supera, mas essa experiência é terrível. Você saber que o ponto está cheio de gente e ninguém responder. Eles pensam: "São cegos, não vão ficar sabendo". Mas a gente percebe. Como pode ser, ninguém ouve a gente falar?

Quando vão casar, os cegos procuram outras pessoas cegas. Foi o que fez Joel, que tem dois filhos perfeitos. Ele e a mulher cuidam pessoalmente das crianças e os vizinhos ficam admirados, "de tanta arrumação e limpeza".

> Pode acontecer, mas é muito difícil um cego namorar e casar com uma moça perfeita. A família resiste, não deixa. Como um cego vai sustentar você? — os pais sempre perguntam.

Salvador Ferri, que tem cinquenta anos de idade e perdeu a vista aos vinte, ouve toda a conversa e acha graça:

> Sofro isso há vinte e sete anos, estou cansado de desprezo nas ruas e nos ônibus. Fui casado, separei-me há quatro anos. Agora moro junto, mas separado. Se quiser ficar solitário, eu fico, me fecho. Mas é melhor reagir.

Reagir à solidão é o que tenta fazer, à sua maneira, Dorvalino Toniati, de cinquenta e sete anos. Além de cego, ele é quase totalmente surdo. Mas nem por isso desiste de ouvir o seu rádio, dando notícia de tudo o que acontece em matéria de futebol.

DONA WANDA TINHA POSIÇÃO e riqueza na Polônia, antes do regime comunista. No Brasil, desde 1953, perdeu tudo: marido, fazenda, bens. Agora, aos setenta e cinco anos de idade, vive numa pequena comunidade de pessoas idosas que ninguém chamaria de asilo. Ela preferiu viver ali para não enfrentar os problemas de uma casa grande, cujas escadas suas tonturas não suportam mais.

"Tenho a mente em ordem, mas preciso fugir das pessoas", explica dona Wanda, tentando definir o que para ela significa a solidão.

Talvez a melhor definição, ela admite, fosse confundir solidão com a tristeza que sente. Um conjunto de sensações e sofrimentos: a pátria distante, a saudade do marido que morreu, a separação da família e a vontade de não conversar com ninguém.

Dona Wanda passa seus dias num pequeno quarto, a maior parte do tempo lendo biografias de personalidades ilustres e livros de história. Ela detesta televisão, "a pior invenção do século, que o homem só inventou porque não achou coisa pior".

Uma das alegrias de dona Wanda em sua solidão é ver os netos falando polonês, quando eles vão visitá-la. É uma das poucas coisas que lhe restaram do seu passado na Polônia, um país em que ela não reconhece mais a sua antiga pátria.

No entanto, tudo ali em volta lhe recorda a sua terra: a casa da Sociedade Sangusko de Beneficência, que ela escolheu para passar os últimos anos de sua vida, tem em todas as paredes belos quadros coloridos de Cracóvia, Varsóvia, das cidades e dos campos da Polônia. Sem falar na figura de João Paulo II, o papa Wojtyla, presente em todos os cantos.

A administradora da instituição, Halina Muller, também é polonesa, mas não é só estrangeiro que vive ali. Cinco das nove hóspedes são brasileiras que as famílias deixaram lá ou que espontaneamente decidiram viver fora de casa. Seria inexato afirmar que todas sofrem de solidão. Dona Irene Barbosa, por exemplo, uma mulher de oitenta e seis anos, mineira de Itajubá, não tem mais ninguém na vida e nem por isso se sente só:

> Aceito a minha idade com alegria, sou meio pra frente. Recebo a vida como ela é. Acho que eu soube envelhecer. Quem faz a vida é a pessoa e a mesma coisa acontece com a solidão. Meu marido morreu em 1953 e meu filho há oito anos.

Dona Stella, dona Sara e dona Rina, outras hóspedes da casa, também se sentem felizes e compreendem as razões dos parentes que levam seus velhos para instituições como aquela, para não deixá-los sozinhos em casa.

Mas a decisão da família nem sempre é fácil de tomar. Sérgio Bortoli, motorista profissional, enfrentou o problema. Filho único, cinquenta e cinco anos de idade, ele e a mulher eram obrigados a deixar sua mãe, de oitenta e dois anos, sozinha em casa.

> Ela vivia na solidão de seu quarto, porque eu e minha mulher tínhamos nossos compromissos fora. Contratar alguém para cuidar dela? Discutimos o assunto e, a conselho dos próprios médicos, decidimos levá-la para uma casa de idosos. Aí veio a reação dos parentes, que me criticavam, como se estivesse abandonando a minha mãe.

Sérgio gasta Cr$ 56 mil para pagar as despesas de hospedagem e remédio na casa de repouso. Mas, depois de alguns meses, ele acha que está valendo a pena. Lá, sua mãe tem toda a assistência, tem muita companhia e parece feliz.

> Por incrível que pareça, a solidão que ela sofria em minha casa acabou lá. Acho que cada situação tem de ser examinada e, em muitos casos, a internação num asilo ou casa de repouso pode ser a melhor solução.

De acordo com o Censo de 1980, o Brasil tem 7.699.068 pessoas com mais de sessenta anos de idade. No município de São Paulo, elas chegam a 601 mil (ou 7,22% da população), segundo uma projeção do professor Antônio Jordão Neto, sociólogo-chefe da Secretaria da Promoção Social e dirigente da Sociedade Brasileira de Geriatria e Gerontologia. Ele tem estudado a situação dos idosos em São Paulo.

> Cerca de 40% do total são marginalizados e enfrentam problemas de trabalho, convivência social e familiar, segurança, falta de hospitais e de lazer. Isso significa quase 250 mil velhos, só no município. Existem em São Paulo quarenta e quatro asilos, com as mais diversas denominações, mas sempre asilos. Nos últimos seis anos, as condições de atendimento material têm piorado, mas não é esse o problema mais grave: é o atendimento moral, a depressão e angústia, a solidão dos idosos. É muito comum a família interná-los e não ligar mais para eles.

Antônio Jordão calcula que 5 mil homens e mulheres vivem nesses asilos, que abrigam de trinta até 200 internos. Quanto maior a capacidade, maior a solidão. Ele compreende as boas intenções dos fundadores de tais obras e dos parentes. "Às vezes, não há alternativa para algumas famílias". Mas como técnico é contra qualquer tipo de asilo. O ideal é criar centros de convivência, como os mantidos pelo Sesc e pelo Movimento Pró-Idosos (MOP), onde os velhos têm atividades culturais e de lazer.

> O que uma pessoa idosa mais quer é conversar, alguém disposto a ouvi-la.

Os velhos, diz Antônio Jordão, sentem mais solidão nas cidades do que no campo. E são mais numerosos nas cidades. Do total de 1.807.938 que tem o estado de São Paulo, apenas 205.435 estão na zona rural.

NOS SEUS 34 ANOS *de médico cardiologista, o dr. Marcos Fábio Lion tem aprendido muitas coisas. Ele descobriu, por exemplo, que muita gente dorme de dia e passa a noite em pé, com medo de morrer durante o sono. São pessoas idosas que moram sozinhas e sentem o pavor da solidão.*

> *Elas temem passar mal e não terem tempo de pedir socorro. Ou têm medo de ficar paralíticas e não serem mais capazes de pegar o telefone para chamar alguém. Isso poderia acontecer também durante o dia, mas a solidão da noite é pior.*

Dr. Marcos Lion admite que a vida solitária tem muita influência sobre as doenças cardiovasculares, contribuindo para o seu agravamento em pessoas mais velhas. Uma vez ele foi chamado para atender a um homem que vivia só num apartamento e tinha problemas de coração. Poucos dias depois, outro telefonema o levou ao mesmo prédio para cuidar de um caso semelhante. A coincidência o impressionou, porque sempre se preocupou com a vida solitária de pessoas idosas que vivem em apartamentos.

> *Com poucos andares de diferença, a gente encontra, no mesmo edifício, senhoras que moram sozinhas e, no entanto, pagariam para ver uma novela juntas. O isolamento vertical é muito maior do que o horizontal. Nas casas, os vizinhos se conhecem melhor e as crianças contribuem muito para aproximar os pais. Eu não sei por que os padres não instituem uma pastoral para os condomínios.*

Outra descoberta do dr. Marcos Lion, que além de clínico é presidente da Sociedade de Cardiologia do Estado de São Paulo: na viuvez, é muito mais difícil tratar dos homens do que das mulheres.

> A mulher que perde o marido adapta-se melhor, mesmo quando já está idosa e tem doenças graves. O homem viúvo não quer tomar remédio, achando que não vale a pena prolongar a vida, porque só vai dar trabalho aos outros.

Dr. Marcos diz que a maioria dos velhos que frequentam seu consultório precisa mais da certeza de que não têm nada do que, propriamente, de remédios.

> Cada vez que um paciente vem aqui, faz exame e ouve a boa notícia de que está tudo em ordem, seu estado geral se reanima. Os idosos com problemas cardiovasculares têm necessidade de ouvir do médico uma palavra de encorajamento. Eles saem com forças redobradas, mas o gráfico vai caindo de novo, até que eles voltam à consulta. A cada seis meses, precisam saber que estão bem.

Dr. Marcos Lion descobriu também que os ricos que frequentam uma clínica de cardiologia são mais solitários do que as pessoas pobres. Ele nunca leu nenhuma teoria sobre o assunto nem conhece estatísticas no Brasil, mas arrisca um palpite:

> Os pobres são muito mais solidários, inclusive quando se divertem. Eles se relaxam com maior facilidade, livrando-se das tensões que podem causar ataques cardíacos. Vão pescar na praia do Perequê, gritam nas gerais dos estádios de futebol, batem papo às mesas dos botecos. Os ricos mal recebem os amigos.

Conclusão do dr. Marcos Lion: solidão é, em grande parte, fruto do egoísmo das pessoas que não querem descobrir o próximo. Por isso, é que elas podem sentir-se solitárias, mesmo quando se encontram no meio da multidão.

6
A máquina. Refúgio e causa de solidão

A MESMA TECNOLOGIA QUE FAZ COMPANHIA AOS SOLITÁRIOS, como o rádio e o telefone nas noites de insônia, é capaz de isolar ainda mais as pessoas. A televisão que diverte também serve para acabar com o diálogo: é diante desse aparelho de aventuras coloridas que as crianças, ignoradas pelos adultos, esquecem seus brinquedos e sua infância. "Os pais são os culpados pela solidão dos filhos", concluem os psicólogos. Rapazes e moças que se sentem sozinhos e incompreendidos, mesmo vivendo em famílias de gente "normal", buscam no som e nas imagens um refúgio para sua angústia. A máquina ameaça a convivência até dos homens mais frios da moderna tecnologia. Nas salas dos computadores, há técnicos que sofrem uma sensação de desamparo, quando os painéis não respondem às perguntas que saem de suas almas, em intermináveis madrugadas de vigília.

Mas a máquina é também libertação: existem pilotos que sobem a 2 mil metros de altura, no silencioso voo de um planador, em busca de si mesmos.

Uma vez senti solidão,
era um vazio,
uma dor no coração.
É como um rio que passa,
é o caçador sem a caça.
É um abismo da vida,
é a perda de uma pessoa querida.
No fim, é uma noite sem graça.

De um menino de catorze anos, aluno de um colégio estadual, na Zona Norte de São Paulo.

O rádio e o telefone são os maiores amigos dos jovens que sentem solidão em São Paulo, a julgar pela pesquisa que o jornal *O Estado de S. Paulo* fez em duas escolas de primeiro e segundo graus, um colégio estadual da Zona Norte e um particular da Zona Oeste da cidade. De um total de 163 alunos que responderam ao questionário — rapazes e moças de catorze a dezoito anos —, 116 afirmam que já se sentiram solitários alguma vez na vida. Onze deles confessam que experimentam uma solidão constante, mesmo morando com os pais e irmãos. E, quando estão sós, quarenta e sete procuram alívio ouvindo música pelo rádio, enquanto cinquenta telefonam para outras pessoas. Apenas sete costumam ligar a televisão em busca de companhia. Alguns desenham, leem ou fazem palavras cruzadas. Oito têm o hábito de fechar-se no quarto ou no banheiro e doze choram escondidos da família. Quase metade dos jovens — exatamente setenta e três — lembra-se de ter sentido solidão antes dos quinze anos de idade. Uma moça de dezesseis anos passou pela experiência pela primeira vez aos onze anos, quando perdeu sua melhor amiga.

Um homem e seu rádio.

Foto: Reginaldo Manente

A máquina consola os solitários.

> Chorei, chorei muito, porque ela é como se fosse a minha irmã. Depois, escrevi tudo o que estava sentindo.

A solidão para esses jovens é uma sensação que se confunde com depressão, desespero, angústia, mágoa e desprezo. Muitos deles definiram a solidão pelo vazio que sentem, quando se encontram sozinhos ou não são compreendidos pelos que os rodeiam. A maioria das respostas insiste que, para se sentir solitário, não é preciso estar só:

> Para mim, a solidão não é estar só, sem alguém ao lado. Eu posso muitas vezes estar ao lado de pessoas e me sentir só dentro de mim mesma, e é isto que já senti muitas vezes. Quando eu ficava numa angústia, não havia ninguém que me fizesse sentir feliz. Foi assim que eu já me senti só.

Este depoimento é de uma moça de dezesseis anos que vive com os pais e tem cinco irmãos em casa. Outra moça, de dezoito anos, afirma que sente solidão "desde sempre", isto é, ela nem se lembra mais de quando começou essa dor, que é constante. Sua definição:

> Solidão é viver entre milhares de pessoas, mas se sentir só. Sentir que não há uma mão amiga para ajudar na hora da luta, mas que sempre haverá uma mão inimiga para tomar-lhe aquilo que você conseguiu com tanto esforço. Pra mim, solidão é a consciência de que as coisas não estão bem e de que é preciso mudar. É a ânsia louca de uma vida nova...

Quando se sente só, essa moça vai para o quarto e apaga a luz. Ela se deita e fica "um tempão curtindo toda a tristeza chamada solidão". Mora com os pais e tem quatro irmãos.

Solidão é também saudade, desilusão, abandono e falta de amigos. Uma menina definiu esse sentimento como "uma escuridão da alma", conceito que já se encontra na experiência de místicos como São João da Cruz e Santa Teresa de Ávila. Alguns jovens identificam solidão simplesmente com a falta de amor e de diálogo que sofrem em casa. Uma moça de dezessete anos, aluna de um colégio católico, escreveu:

> A falta de diálogo com meus pais é responsável pela minha perpétua solidão em casa. A falta de alguém em quem confiar, amar, me faz sentir sozinha, isso me deixa triste e aí ela vem. Choro, choro muito, é uma forma de afugentá-la, um desabafo que só posso fazer comigo mesma.

Outra aluna do mesmo colégio, de dezenove anos, sente solidão desde a morte do pai. Às vezes, procura os amigos, mas o que gosta mesmo de fazer é pegar o carro e sair rodando.

> Me sinto só, incompleta. Porém, ao mesmo tempo, não sei o que me falta. Gosto da solidão, pois cresço cada vez que nela me encontro. Mesmo estando com pessoas a meu lado, sinto muito o meu interior. Parece que ele me chama...

Uma moça de dezessete anos, aluna do colégio da Zona Oeste, perdeu o pai quando era criança, aos cinco anos de idade. Sua solidão começou há muito tempo, ela não se lembra quando, mas ultimamente tem aumentado ainda mais:

> Minha maior infelicidade é não ter com quem conversar. Em casa, não somos o que se diz "uma família". Minha solidão é um

desligamento do mundo, por algum motivo, algum fato que me tenha entristecido ou feito parar para pensar. É uma desilusão, é um me sentir sozinha, abandonada por todos...

Para muitos jovens, a solidão acompanha a ideia de dor e medo. Mesmo quando é passageiro e não se repete mais, costuma deixar lembranças de tristeza e mágoa.

"É difícil definir a solidão, mas quem sente jamais esquece", escreveu uma moça de dezessete anos, que vive com os pais e três irmãos.

Uma colega dela, igualmente de dezessete anos, escreveu:

> Eu sou uma pessoa que não tenho problemas aparentes, mas na minha família, entre amigos e colegas, tenho e muitos. Fico sempre sozinha, aos poucos amigos que tenho não conto os problemas, não me abro com ninguém. Uma hora tudo estoura e fico com muita raiva. Nunca tive um amigo a quem contar tudo, mas tudo mesmo. Eu sou um pouco complexada e isso faz com que eu fique mais ainda na solidão, cada dia eu descubro um pouco mais de mim. Acho que a solidão é aquele vazio dentro da gente.

Às vezes, principalmente entre as moças, solidão é a perda de um amor, do primeiro namorado. Uma menina de quinze anos que se sente nessa situação escreveu este depoimento dramático:

> Comecei a sentir solidão desde o momento em que comecei a amar um cara da escola. Sempre tive o amor de meus pais e, no entanto, não soube perder esse amor que estou sentindo. Esse amor me faz sentir entre quatro paredes: a morte, a paixão, a solidão e a angústia. E eu sempre opto pelo pior: a morte e a solidão.

Mas nem sempre solidão é sofrimento. Alguns jovens falam dela como uma sensação querida, que enriquece a pessoa. Uma menina de quinze anos, aluna da escola estadual, diz que "a solidão é boa para certas ocasiões", mas acha também que é muito triste e dói muito. Mesmo aqueles que gostam de ficar sozinhos observam que a solidão deve ser ruim e penosa, quando significa isolamento forçado.

Apenas cinco jovens mencionam Deus em suas respostas, como causa ou refúgio da solidão. Do total de 163, sete são órfãos de pai ou mãe e onze são filhos de pais separados.

AOS NOVE ANOS DE idade, Adriana dormia rezando para morrer durante a noite. Ela chorava e pedia a Deus que não a deixasse acordar no dia seguinte, tanta era a solidão de sua vida, quarta filha numa família de onze irmãos.

"Aos cinquenta e quatro anos, reconheço que isso não era normal para uma criança, mas desde os seis anos eu me sentia solitária", admite agora, depois de três casamentos e muita bebida. Em agosto de 1980, encontrou numa reunião do Alcoólicos Anônimos o remédio para suas doenças.

> Alcoolismo para mim é uma doença, e a solidão talvez fosse consequência dele, nesses últimos anos. Mas, quem sabe, podia ser também a causa.

A solidão de Adriana era tanta, quando ela bebia, que não queria contato com ninguém: fechava-se dentro de casa e punha na vitrola um disco de Maysa Matarazzo ("*Ninguém me ama ninguém me quer...*"), procurando deliberadamente aumentar o próprio sofrimento.

Agora, curada do alcoolismo e morando num quarto de pensão, ela só se sente bem entre os companheiros do AA, que lhe dão força para resistir a um copo de vodca. É com eles que vai passar as festas de Natal e Ano-Novo, pois está certa de que, se for comemorar com a família, vai sofrer outra vez sua antiga solidão.

Os psicólogos admitem que, a exemplo de Adriana, qualquer criança pode sentir-se solitária. Mesmo que não tenha consciência da solidão e não saiba defini-la.

"É uma solidão precoce que vem do adulto", explica a psicóloga Ana Maria Lenzoni, que se preocupa com os efeitos causados sobre os filhos pelos pais que vivem num estado de solidão a dois. Vendo que pai e mãe não se entendem, eles tornam-se introspectivos e fechados dentro de si mesmos. Sentam-se diante da televisão, em busca de fantásticos heróis que os façam esquecer as brigas da família.

Fiorangela Desiderio, outra psicóloga paulista, explica que a criança é um ser só, e, por isso, o adulto não pode entendê-la, "a não ser que seja um adulto especial".

> A criança vive no mundo da fantasia, tem os seus heróis imaginários. Acostumada a estar só, em contato consigo mesma, ela encontra nos companheiros o refúgio de sua solidão. Os companheiros são importantes principalmente um pouco mais tarde, na fase da adolescência. Porque a solidão da criança, e depois a do adolescente, é causada pela incompreensão da linguagem. Em meu consultório, costumo atender a filhos de pais "normais" que não têm problema algum: o problema é, na maioria das vezes, dos pais. A criança sente-se solitária e desamparada

quando vê que os pais brigam. Tem medo de que os pais briguem, discutam e se matem. Por isso, muitas vezes torce para que eles se separem, é uma maneira de conservá-los, embora não vivam mais juntos.

O chileno Emílio Romero, professor de psicologia na Faculdade Paulistana — que fez uma pesquisa com 800 jovens e ficou surpreso com a descoberta de que 50% deles se sentem solitários — distingue entre a solidão de adolescentes e de crianças:

> Acho que a solidão só começa a partir da adolescência, quando rapazes e moças são obrigados a tomar suas primeiras decisões. A criança não tem solidão, tem desamparo, que em minha opinião é uma sensação ainda pior.

No Rio de Janeiro, o psicanalista João Batista Ferreira também admite uma estreita relação entre a solidão da criança e o comportamento dos adultos. Ele cita, como exemplo, a reação de um menino de Miguel Pereira, cidade fluminense, ao descobrir à mesa que a mãe tinha assado seu porquinho de estimação:

> O menino caiu num estado de autismo acentuado, fechando-se na incomunicabilidade total, que era ao mesmo tempo um protesto contra os pais e uma tristeza causada pela perda do porquinho, possivelmente seu único amigo no mundo, sua única diversão. O autismo, naquele menino, foi sem dúvida um tipo de solidão.

As crianças, segundo o psicanalista, fecham-se toda vez que se sentem ameaçadas, encerrando-se dentro de seu próprio mundo, numa atitude que as isola e as protege dos adultos.

> Quanto mais se tenta falar com elas, mais elas se fecham. O remédio então é não dizer nada, é ficar perto e mostrar pela presença que você está ao lado delas. A solidão da criança é uma defesa, a tentativa de colocar dentro do cofre o pouco que lhe sobra.

É UM ENGANO PENSAR que os computadores das mais modernas gerações são máquinas que falam, fascinantes aparelhos capazes de diminuir a solidão humana. Os operadores apaixonados que mergulham de corpo e alma nesse envolvente mundo de programações, cálculos, estatísticas e listagens, conseguem, em apenas alguns segundos, as mais surpreendentes respostas e se divertem com esse milagre. Mas diálogo não existe. As salas dos computadores, espaços amplos e frios, abrigam nas noites de São Paulo homens solitários que os instrumentos absorvem e isolam da vida.

> As pessoas acreditam que a gente alimenta a máquina e ela responde com a listagem. Acreditam que o computador é independente, mas, na realidade, ele não faz nada sem o operador e apronta para ele os mais inesperados problemas. Foi diante de um desafio desses, a máquina me criando situações complicadas e insolúveis, que eu senti a solidão da noite.

Lincoln Munhoz, solteiro e sozinho em São Paulo, que mais de uma vez já experimentou assim sua incapacidade de diálogo com o computador, mantém com suas máquinas relações quase humanas. No silêncio da madrugada, quando só se ouve nos salões iluminados o monótono barulho dos carretéis processando as riquezas da economia paulista, ele enfrenta sensações de impotência e desamparo.

> Por que a máquina não responde às minhas dificuldades profissionais e a meus sentimentos pessoais? Eu costumo falar sozinho, conversando alto com ela como se fosse minha companheira. E, para dizer a verdade, é. Faço perguntas no teclado e aguardo com ansiedade uma resposta que não vem.

Lincoln confessa que os operadores alimentam também certo ciúme de seu computador. São exclusivistas — são eles e as máquinas —, não admitem que outros técnicos as operem. E falam delas como se falassem de amantes e namoradas, numa linguagem cifrada que só as pessoas do ramo entendem.

A solidão dos computadores às vezes pesa, mas não é sempre que Lincoln se aborrece com ela. Confirmando a teoria dos psicólogos, que veem a raiz da solidão no desencontro do homem consigo mesmo, ele diz que a sensação depende muito do estado de espírito:

> Quando estou em paz comigo, o silêncio até ajuda, me faz meditar. A gente melhora com isso. A solidão pesa quando tenho um problema sério e sou obrigado a enfrentar a máquina sozinho, sem ninguém a quem recorrer. Sinto falta de uma opinião, de uma palavra.

Lincoln tem vinte e três anos de idade e sete de profissão. O computador engole dezesseis horas de seu dia, nos dois empregos em que trabalha. Na república, onde mora com mais dois rapazes, ele tem pouco tempo para fazer qualquer outra coisa, além de dormir e descansar. Mas, nos fins de semana, Lincoln vê a namorada, vai ao cinema e, às vezes, corre no Ibirapuera.

Até algum tempo atrás, ele dormia sonhando com o computador, acordando sobressaltado com frequentes pesadelos de programações que não davam certo. Mas isso já passou. Lincoln continua sendo o rapaz meio inibido que sempre foi, mas já consegue fazer piadas e "tirar um sarro" com os técnicos de manutenção que costumam interromper a solidão de suas madrugadas.

NA NOITE DE 24 de novembro, Ariovaldo Nunes da Silva não conseguiu voltar para casa e passou a madrugada trabalhando. Há muito tempo não fazia isso, porque o horário noturno lhe estava criando problemas pessoais e preferiu mudar de emprego. Foi há cinco anos, quando nasceu o filho, que ele deixava com a mulher sozinha em casa.

> Eu sentia saudades dele, mal o via, o que poderia acontecer com qualquer pessoa que trabalha à noite. Mas numa sala de computadores o problema se agrava. Tenho um colega que não encontra mais a mulher: casado há um ano, ele chega em casa quando ela já saiu para o trabalho e sai antes de ela voltar.

Ariovaldo, vinte e sete anos de idade, sentiu o peso do computador por causa da eficiência da máquina, que consegue trabalhar três ou quatro horas seguidas sem precisar da intervenção do operador.

> Há serviços rápidos que distraem. Mas o computador é eficiente e, se não há um defeito, ele roda sozinho. Isso é terrível durante a madrugada, quando a gente não tem com quem conversar e começa a pensar nos problemas da vida. Lê-se jornal, ouve-se rádio, mas não é isso que acaba com a solidão.

Lá fora, bem no centro da "boca do lixo", a cidade vive a noite. As ruas estão cheias de prostitutas, gigolôs, travestis, polícia e clientes solitários, em busca de diversões nas boates e de um pouco de amor nos hotéis de alta rotatividade. Os técnicos do computador descem para o café, uma hora de folga na madrugada.

SÉRGIO OPEROU COMPUTADORES QUANDO eles eram máquinas ainda sem muitos recursos e menos complicadas. Isso foi antigamente, isto é, há apenas cinco anos. O banco tinha pouco serviço, de modo que ele e seu companheiro, os técnicos da noite, passavam horas sem fazer nada, sozinhos numa sala de mil metros quadrados. O silêncio, às vezes, era total, só o barulho do elevador que um ascensorista, igualmente solitário, movimentava para não dormir.

> Quando meu colega faltava, era eu e Deus. Seis horas totalmente só, sem uma palavra de ninguém. Às vezes, telefonava para minha noiva, lá pelas 11 horas da noite, quando ela chegava do cursinho. Mas de madrugada não havia mesmo ninguém. Eu andava entre os imensos vazios das máquinas e falava alto, imaginando diálogos. Podia até conversar com os computadores. Mas eram computadores antigos, seria forçar a barra.

Sérgio, que agora tem trinta anos de idade, transferiu-se do horário noturno por causa da família. Quando se casou, a situação ficou insustentável, sobretudo porque os problemas se agravaram e ele caiu numa profunda depressão. A empresa o encaminhou para um tratamento psiquiátrico e então ele descobriu que não gostava de máquinas. Era um sujeito deslocado na sala dos computadores e por isso a solidão da madrugada pesava ainda mais.

VOANDO A DOIS MIL metros de altura, ele só vê as nuvens no céu azul e só ouve o assovio do vento. Os ponteiros do painel lhe dão a sua posição exata, mas lá embaixo os radares não registram sua presença. O rádio, silencioso quase o tempo todo, é apenas um recurso. O planador está sozinho no espaço e, dentro dele, o piloto vai curtindo sua solidão.

José Eduardo Pontes, trinta e sete anos, economista e administrador de empresa, esquece o mundo agitado de sua sala de trabalho, os números e os cálculos que enchem todos os dias da semana, quando lá em cima se isola das pessoas, perseguindo as correntes ascendentes que lhe darão cada vez mais altura.

Há vinte e dois anos Pontes pratica o voo a vela, primeiro por simples esporte, ultimamente por competição. Ele sabe também pilotar aviões, mas é no planador que se encontra, vivendo emoções que não pode compartilhar com ninguém entre as nuvens e que, de volta à terra, nem todos vão entender.

São sensações de alegria e satisfação, quando realiza uma proeza. E de apreensão e desamparo, quando enfrenta riscos e dificuldades. Sozinho no espaço, ele não tem a quem pedir ajuda nem ninguém para ir junto com ele. Nas competições, concorre com rivais que não vê: os resultados, bons ou ruins, só serão conhecidos depois do pouso. Nem torcida ele tem para incentivar.

Talvez aconteça algo parecido no isolamento daqueles que enfrentam o oceano, no mergulho da caça submarina ou no convés de um pequeno barco a vela. É uma solidão querida e agradável.

> Eu falo muito comigo mesmo e tenho amigos que costumam conversar com as correntes ascendentes, uma realidade que a gente não vê. Alguns só olham para o chão, outros olham só para cima. Quando o tempo está bom, a sensação é de paz e alegria. Mas, se vem uma tempestade que o piloto tem de enfrentar sozinho, a gente sente um desamparo que pode levar até a depressão.

O isolamento no silêncio do espaço proporciona o encontro da pessoa consigo mesma, e essa descoberta, na experiência de José Eduardo Pontes, significa liberdade. É nesse momento que ele faz a sua autocrítica, avaliando seus erros e acertos.

> Posso passar seis e até oito horas no ar. Em alguns trechos, nada, a não ser eu. É uma coisa que constrói, a gente cresce interiormente. Não tenho de me exibir para ninguém e é em mim, só em mim, que tenho de confiar. Quando o piloto fala de certas emoções, só outro piloto de planador é capaz de entender.

As experiências que o piloto vive no comando de seu planador refletem-se depois na sua sala de trabalho. Pontes é um executivo capaz de fazer reciclagens rápidas e de reconhecer os erros, mas é também um sujeito meio individualista, que não costuma anunciar o que vai fazer.

A solidão do voo a vela pode levar também à meditação.

> Eu não sou um homem de rezar, mas penso lá em cima em algumas coisas que, eu acredito, me aproximam de Deus. Vejo uma nuvem, por exemplo, e sei que ela é apenas o teto visível de uma imensa massa que começa 2 mil metros abaixo, lá na terra, numa corrente de ar que aos poucos se condensa. Uma

construção maior do que qualquer construção do mundo, não existe coisa igual. Deus para mim é inteligência, essa coisa maravilhosa pela qual estou voando com meu planador.

José Eduardo Pontes, que não sente peso nem amargura, mas alegria e satisfação quando está sozinho no espaço, já experimentou a solidão do executivo, no meio de dezenas de pessoas. Ele se sente sozinho nos momentos em que uma decisão importante depende dele e não há a quem recorrer, apesar de ter 200 funcionários trabalhando sob suas ordens.

A INVASÃO DA TECNOLOGIA moderna é uma ameaça ao direito que o homem tem à solidão, a recolher-se em sua intimidade dentro de quatro paredes, num isolamento físico ou espiritual, diz o jurista Paulo José da Costa Jr., professor de Direito Penal da Universidade de São Paulo e autor de uma tese sobre o direito de estar só.

"*Esse direito, que é a tutela penal da intimidade, deveria ser incorporado ao artigo 162 do novo Código Penal Brasileiro, que, no entanto, não entrou em vigor, o que eu considero lamentável*", explica o professor, que com a tese conquistou sua cadeira na Faculdade de Direito São Francisco.

Quando ele fala de direito à intimidade, entende o termo em toda a sua extensão: é, por exemplo, o direito que tem uma atriz de recolher-se à sua vida particular sem ser incomodada pelas teleobjetivas indiscretas, mas também o direito de qualquer pessoa desfrutar da solidão.

É o direito que temos de estarmos sós. Será impossível garantir a solidão física de uma pessoa no meio da multidão, mas pode-

-se preservar a sua solidão numa praia, no deserto ou entre as paredes de sua casa. A grande ameaça contra essa solidão é a máquina, a tecnologia que impede a intimidade, como as câmaras fotográficas, a televisão, o walkman *ou um helicóptero que sobrevoa seu teto, sem falar em microfones-espiões.*

A solidão, da mesma forma que a ecologia, a calma e o silêncio, é para o professor Paulo José da Costa Jr. um valor que a civilização moderna está perdendo e que as gerações passadas desfrutavam sem ligar para a sua importância.

7
A LUTA DOS SOLITÁRIOS CONTRA A SOLIDÃO

"VOCÊ NÃO VAI FALAR TAMBÉM DAS SOLTEIRONAS, A PIADA da família?" — perguntou Marieta ao telefone, cobrando a história de mulheres que vivem uma solidão igual à dela. Garante que não existe solidão pior: os irmãos escolhem uma das moças para tomar conta dos pais em sua velhice, os pais morrem e ela, de repente, descobre-se sozinha no mundo.

> Aos sessenta anos de idade, eu não vivi, viveram por mim. Tenho cinco irmãos e muitos sobrinhos, mas ninguém quer saber de mim. Só se lembram quando precisam de dinheiro. Não sou doente, não sou cega, sou até uma mulher bonita. Não queria ser uma "solteira liberada", para dormir cada dia com um homem, não é isso. Mas nunca tive um homem em toda minha vida.

Marieta fala chorando, pedindo-me que escreva esse depoimento ao lado de outras histórias de solidão. É possível que mais solitários

"Aqui não existe amigo.

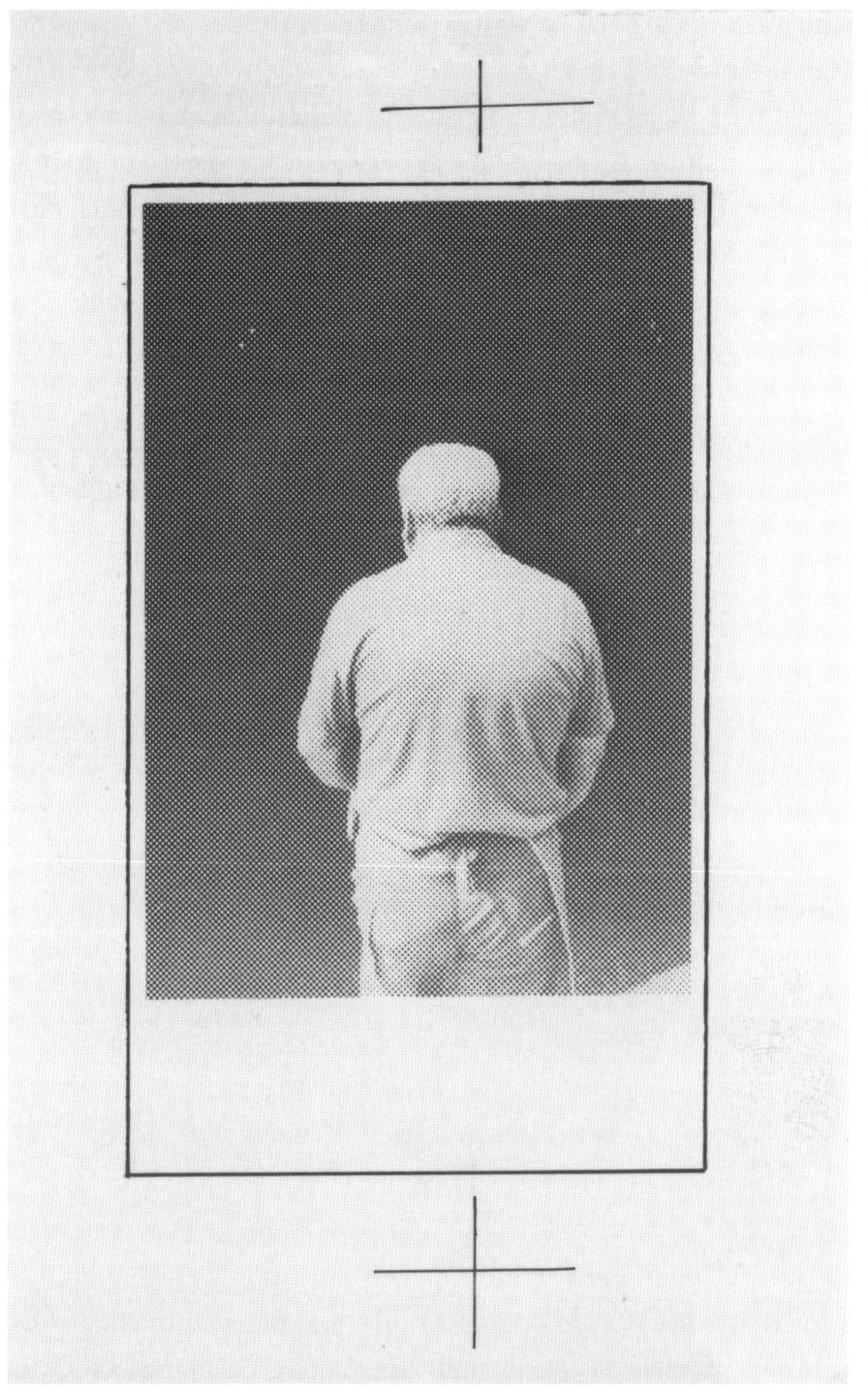

Quem disser que tem é mentiroso."

Foto: Reginaldo Manente

tenham a mesma reação agora, porque nem todos vão encontrar aqui o retrato de seu sofrimento e de sua angústia. Solidão é uma sensação que se manifesta de maneiras muito diferentes e, por isso, variaram tanto as definições que as pessoas deram dela. Como varia o destino dos solitários, assunto deste capítulo. Alguns não suportam a pressão e refugiam-se nas clínicas, como se fossem doentes. Mas há também aqueles, muitos, que reagem e, confiantes, buscam outros caminhos — de diálogo e esperança.

O que aquela mulher está sofrendo agora, num apartamento da clínica Maia, é uma depressão profunda. Ela tomou remédios para dormir, está quase fechando os olhos, e sua voz é pausada e difícil, o sono chegando. Mas tem consciência de seu estado e ainda é capaz de explicar como chegou até aquele ponto.

"Depressão tem cura, doutor?" — a mulher pergunta ao diretor da clínica, o psiquiatra Edmundo Maia.

Ela tem quarenta e dois anos, uma boa posição no governo estadual, pais, irmãos e sobrinhos. O relacionamento com a família nunca foi problema para ela, jamais sentiu falta de afeto, não foi por causa disso que resolveu ir morar sozinha, num pequeno apartamento.

> Mas, apesar de tudo estar correndo aparentemente bem, eu senti de repente um vazio dentro de mim, uma solidão indescritível que me jogou na depressão e me arrastou para cá. Chegou inesperadamente, depois que eu rompi uma ligação afetiva que há vinte anos tinha com um homem.

De início, a mulher tentou manter seu ritmo de vida, como se nada tivesse acontecido. Durante o dia, mal tinha tempo de pensar nos seus problemas, trabalhando das 9 horas da manhã às 11 da noite, sempre no meio de muita gente. Os adolescentes, sobretudo, não a deixavam experimentar nenhuma sensação de solidão.

Mas era de casa para o trabalho e do trabalho para casa, a não ser no fim de semana, quando costumava ir a Santos. Às vezes, visitava os parentes, às vezes recebia a visita dos irmãos. Era uma mulher sozinha por opção.

> De repente senti o vazio, a solidão que me jogou numa depressão que era ao mesmo tempo abulia, uma vontade de não fazer nada, nem pensar. Era uma coisa que saía de dentro de mim, sem nada a ver com as pessoas a meu lado. Podia estar junto delas, mas assim mesmo me sentia sozinha. Não acho que seja culpa da cidade, pois as pessoas convivem em São Paulo. O problema era meu, nascia de mim.

A mulher identifica causas paralelas que devem ter contribuído para agravar sua doença, como a falta de dinheiro para pagar o aluguel e fazer outras despesas. O rompimento com o amigo foi, sem dúvida, a raiz de seu mal, que, no entanto, surgiu inesperadamente, quando ela tinha a impressão de já estar superando o problema.

> Mesmo conversando, não estou nem aí. Não sei definir a solidão... a depressão tem cura, doutor?

Nos jardins da clínica, o bancário Nicácio Borges Leal, de trinta e um anos, também sofre de solidão, a doença que há dois meses o mantém ali, causa da estafa no trabalho.

> Na verdade, os sintomas eram de estafa, por isso o Banco do Brasil me internou aqui. Não sei como apareceu, mas foi um

longo processo. Trabalhei quatro anos como caixa, contando o dia inteiro muito dinheiro dos outros, um serviço de muita responsabilidade. As mudanças, no entanto, não vieram com o trabalho, mas com o casamento.

Antes de casar, cinco anos atrás, Nicácio era um rapaz extrovertido, alegre, conversador. Tinha muitos amigos, frequentava clubes, gostava de uma cerveja, sem jamais se embriagar. A solidão para ele, pode parecer contraditório, começou com o casamento.

Mesmo com minha esposa e o filho, eu sentia solidão. Era a falta dos amigos e da vida que eu tinha antes ao lado deles. Se minha mulher queria me tirar da solidão, eu reagia. Sou assim: sinto solidão quando quero.

Internado na clínica, onde divide o quarto com um companheiro, ele vive ainda longas horas de solidão que, muitas vezes, se confunde com a saudade do filho e da mulher que deixou no Piauí, sua terra. Lembra-se deles e tem vontade de chorar.

Se souberem lá no Norte que eu falei isso, vão dar risada de mim, pois lá não se admite que um homem possa chorar.

Depois de dois meses de tratamento, Nicácio começou a reagir à solidão, já se sente muito menos solitário. A clínica Maia tem mais de 200 pessoas internadas, homens e mulheres que convivem nos jardins, no refeitório e nos salões de jogos. Até teatro e *shows* eles fazem.

Antes eu não aceitava essa convivência, caía na ansiedade e ficava imaginando besteiras, não sabia o que fazer. Agora já me sinto bem com outras pessoas e até estou participando das conversas. E, às vezes, acho graça em coisas passadas.

Nicácio é capaz de analisar a causa da estafa que se juntou à sua solidão. Chegou à conclusão de que foi esforço demais, a vontade de provar a si mesmo e aos outros que era um rapaz competente, digno da família de sua mulher.

> Ela é de família importante, parente do governador do Piauí. Casando com ela, achei que devia me esforçar para alcançar o nível dela, comprar casa, automóvel, tudo. O trabalho excessivo me levou ao cansaço e à estafa. Mas também fico pensando se não foi a solidão que provocou a estafa. Tem hora que não sei qual delas começou antes.

Para Nicácio, estafa e solidão são doenças que têm cura, e ele está ali na clínica para se livrar delas.

A SOLIDÃO NASCE DO medo. E por isso é cada vez mais comum, diz o psiquiatra Edmundo Maia, porque nós vivemos no mundo do medo. As pessoas não se olham, não se cumprimentam nos elevadores, nem socorrem mais os feridos num acidente. Têm medo de tudo e se isolam, como se pudessem viver sozinhas.

"Na clínica, a solidão aparece, por exemplo, no quadro de estresse e de depressão", explica o médico, apontando os casos da mulher e do bancário que concordaram em falar de sua doença.

Solidão acompanha também a velhice, mas só será uma sensação de sofrimento quando não se souber envelhecer.

A velhice é uma síntese do passado. Pode ser somente fisiológica ou também psicológica, dependendo de como o homem viveu e evoluiu emocionalmente. Há muita gente que envelhece com grande riqueza interior, uma riqueza que vai preencher a sua velhice. Gente assim não vai sentir solidão, não sofre dessa doença. Por isso é que muitas pessoas idosas não se sentem sós, mesmo quando estão vivendo num asilo ou numa casa de repouso, longe da família. A solidão faz parte da velhice, mas não significa necessariamente sofrimento e dor.

Solidão mais dolorosa é a dos deprimidos, a dos introvertidos.

Essa é uma solidão patológica. Essas pessoas conversam como autômatos, mesmo quando se encontram em grupo ou no meio da multidão. Veja o exemplo da praça da Sé, onde centenas de pessoas passam horas de pé, sozinhas naquele formigueiro: os solitários precisam de gente ao lado deles. Com isso aliviam a sua solidão, mas são incapazes de romper o bloqueio.

"A tendência das pessoas solitárias" — observa o psiquiatra — "é não admitir a solidão. Nem sempre elas reconhecem que são pessoas sós e culpam o mundo exterior, a falta de comunicação, quando a projeção é delas."

Algumas vítimas de solidão não sofrem com ela, quando a doença transforma-se numa indiferença, a abulia. É o caso dos mendigos, que são pessoas solitárias, mas num sentido bastante vago. Na verdade, são abúlicos: não têm iniciativa para nada, só os instintos primitivos. São vítimas de uma vida irregular, mas ao mesmo tempo são independentes. Mendigos e andarilhos não querem saber de regras nem horários.

A solidão costuma provocar, em alguns casos, consequências mais graves, quando a pessoa não reage a ela. O psiquiatra fala lembrando exemplos de catorze anos de trabalho na clínica Maia:

> A solidão pode levar à depressão, ao estresse, às drogas, ao alcoolismo e ao suicídio. Os períodos crônicos para os solitários são os fins de semana e algumas festas que lembram mais a família, como Natal e Ano-Novo.

O professor Edmundo Maia, que em seu livro *Instantâneos na vida de um psiquiatra*, analisa as doenças provocadas pelo ritmo do mundo moderno, vê a raiz da solidão na falta de comunicação entre os homens.

> A comunicação mecânica e eletrônica vai aumentando, aperfeiçoa-se cada vez mais e exige pouco esforço do homem. Brinquedo, por exemplo, não se faz mais, e a consequência é o bloqueio da criatividade da criança, que recebe tudo pronto. A televisão acaba com o diálogo e condiciona a criança para a solidão. E, chegando à adolescência, os jovens não sabem conversar. Como também não sabem divertir-se: ouvem música alta, são nervosos e surdos, vítimas da poluição. É outro caminho para a solidão, mesmo quando não se desviam para as drogas e comportamentos antissociais.

O psiquiatra costuma testar a comunicabilidade das pessoas. Tenta conversar com elas, com os desconhecidos, nas filas de ônibus, nos elevadores e no avião.

> Sabe qual é a reação? As pessoas estranham, como se o errado fosse eu.

O ADVOGADO EDSON BUENO é um sujeito honesto: confessa que sentiu falta da mulher, quando se desquitou dela, em outubro do ano passado, depois de dezenove anos de casados. É uma confissão rara, porque os homens e mulheres que se separam não costumam admitir que a separação tenha seu lado triste. A tendência é lançar a culpa no outro, jamais dizer que houve uma perda.

> O impacto é grande, a outra parte sempre faz falta, principalmente quando o casal viveu junto durante muitos anos. Eu me senti muito só, procurei logo um grupo, mas não me entrosei. Os fins de semana são duros, principalmente o domingo, quando estou mesmo sozinho. Aos sábados, vejo meus filhos (uma filha casada, uma moça de catorze anos e um menino de oito), mas o domingo é um dia vazio.

Agora, mais de um ano depois da separação, morando num pequeno apartamento no centro de São Paulo, ele preenche sua solidão lendo, estudando e cozinhando. De vez em quando, vai ao teatro, com frequência percorre a feira de antiguidades do Masp, passeio tradicional de desquitados. Fazer compras no supermercado, uma noite por semana, é um programa.

> Mas nada disso resolve o problema, e eu pensei logo em outra saída: fundar um clube de descasados. Ele já existe e começou a funcionar há quase oito meses. Foi ele que modificou minha

vida, ligando-me a um grupo de amigos em festas e reuniões. Temos feito até almoços, cada domingo numa casa, no estilo bem comunitário de cada um levar um prato.

Um + Um, o clube dos descasados tem apenas os vinte e cinco sócios fundadores, mas seus bailes costumam reunir uma centena de homens e mulheres: são os *100* (sem) *namorados*, como se anuncia nos convites.

> No dia 31, vamos comemorar o nosso primeiro *réveillon* com um jantar no São Paulo Hilton, promoção enquadrada no programa de bailes do hotel. Cada convidado pagará Cr$ 10 mil, preço mais baixo do que o das outras festas.

A primeira condição para aderir é estar realmente sozinho: solteiro, separado, descasado. Quem estiver só, porque o marido ou a mulher está viajando, não pode participar. A intenção de Edson Bueno e do clube é acabar com a solidão das pessoas que vivem sem um companheiro na vida.

> Quando alguém se casa no clube é eliminado pelo estatuto. Já houve pelo menos um caso, pois os bailes e festas acabam sempre dando em namoros. Temos uma reunião mensal, além dessas festas; não queremos ser apenas um *single's club* a mais.

Os descasados querem manter o bom nível do clube. Suas reuniões são sempre nos melhores hotéis de São Paulo. Os casais usam traje esporte fino e posam para fotografias alegres e sorridentes. As músicas dos bailes lembram a década de 1960, quando esses homens e mulheres eram jovens apaixonados.

É comum Edson Bueno encontrar sua ex-mulher nas festas dos descasados. Nos primeiros meses, até dançavam. Agora, cada um fica na sua mesa. Mas cumprimentam-se, conversam, continuam bons amigos.

> Acho muito importante um casal que se separa garantir o bom relacionamento, principalmente no início. Como advogado da área de família, compreendo bem o processo e sei que ele é, às vezes, doloroso. Homem ou mulher, é necessário manter também a dignidade. Ocorre muito, sobretudo com o homem, o separado partir para o caminho do vício: álcool, fumo, drogas, prostitutas. É um desastre. Eu sempre aconselho o bom relacionamento. Mais do que antes, o descasado precisa também preocupar-se com a saúde, alimentar-se e dormir bem, obedecer a horários. Depois de me desquitar, diminuí o fumo e controlei melhor o sono.

No seu pequeno apartamento da rua Avanhandava, Edson Bueno, quarenta e quatro anos de idade, prepara o café da manhã e faz o jantar, todos os dias. Ele se orgulha de ser bom cozinheiro, mas reconhece que um dos problemas dos homens que deixam a mulher é a cozinha. A maioria não sabe fritar um ovo.

> No clube Um+Um, vamos ter um curso de culinária para os homens. Haverá também excursões, palestras, dinâmica de grupo e assistência jurídica para resolver os problemas dos sócios com a separação.

O clube não tem sede e é pelo telefone do escritório que Edson Bueno atende os sócios e pretendentes. Há mais de 500 homens e mulheres cadastrados, à espera da admissão. Sempre que há uma promoção, eles são avisados.

Quase todos aqueles que se separam, segundo o advogado, costumam percorrer os principais bares e restaurantes de solteiros de São Paulo, em busca de distração e, se possível, uma nova companhia para sua solidão. Vão uma ou duas vezes e acabam desistindo, "porque na maioria deles o que se encontra é apenas um programa, nada de sério".

Para os descasados que querem encarar a nova vida com seriedade, Edson Bueno tem um conselho: nada de precipitação para casar de novo, por mais dura que seja a solidão.

MAIS DE 10 MIL pessoas estão pagando em São Paulo para arranjar um parceiro. São homens e mulheres que não conseguem comunicar-se diretamente com os possíveis pretendentes e, por isso, recorrem aos serviços de agências de casamento. Quando escrevem expondo seus problemas, falam de bloqueio pessoal, decepções, angústias e solidão.

Maria Beatriz de Castro Nunes, que há quase dois anos criou o "Correio do Amor", um serviço especializado de assessoria e orientação, tem em seus fichários os nomes e pretensões de noventa e oito homens e 370 mulheres. Eles enviam suas fotografias e pormenorizadas descrições, dizendo como são e o que pretendem dos futuros companheiros.

"São pessoas que sonham com a felicidade, e sua fantasia é quebrar a solidão", explica Maria Beatriz, uma viúva que decidiu trabalhar com o coração dos solitários, depois de dirigir durante dez anos o consultório sentimental de uma revista feminina. Ela recebe apelos às vezes dramáticos:

"De qualquer forma, não se esqueça de mim, essa pobre solitária", escreveu uma moça de vinte e oito anos, da região de Presidente Epitácio, depois de reconhecer suas limitações pessoais e prometer seguir à risca os conselhos de Maria Beatriz.

Outra mulher, uma capixaba de trinta e nove anos, está muito preocupada, porque não é mais virgem:

> Não sou de transas. Sou muito só, a solidão tomou conta da minha vida.

Maria Beatriz diz que o grau de solidão varia, mas está presente em todas as cartas, mesmo quando as pessoas não conseguem falar explicitamente dela, como um engenheiro de trinta e sete anos — "louro, bonito e bem instalado na vida" — que não foi capaz de escrever duas linhas sobre si mesmo.

No fichário de Maria Beatriz, há médicos e engenheiros, professores universitários e psicólogos, empresários e fazendeiros. Homens ou mulheres, são pessoas de temperamento difícil, o que pode explicar sua solidão. A maioria é de solteiros, mas há também viúvos, desquitados e divorciados.

"Nosso primeiro trabalho consiste na correspondência entre os pares que, comparando as fichas, eu julgo atenderem à descrição das qualidades pedidas nas cartas", explica Maria Beatriz, que cobra uma taxa de Cr$ 2.500 para aproximar os solitários. Essa taxa vale por seis meses e só começa a contar a partir da primeira troca de cartas entre um casal.

Casamento ainda não aconteceu, mas tem havido muito namoro, Maria Beatriz não conhece pessoalmente nenhuma das 500 pessoas que lhe confiaram os segredos de sua solidão. Seu único contato com os clientes é o correio (Caixa Postal 11.159, São Paulo), porque o atendimento direto exigiria uma estrutura que seus serviços ainda não têm.

Em vinte e um meses de trabalho, ela descobriu que algumas pessoas têm mais dificuldade do que outras. Por exemplo, os negros, que geralmente exigem para casar parceiros brancos e de cabelos lisos.

> Frequentemente, eles devolvem as fotografias de pretendentes que lhes sugiro, sobretudo os homens. As moças negras costumam aceitar rapazes de sua cor e acho trágico enfrentarem a recusa por razões raciais.

A solidão de gente que vive só pelo simples fato de não ter conseguido um parceiro está presente em todas as camadas, não importando a riqueza ou a formação profissional. Nem a idade importa: Maria Beatriz recebeu a inscrição de um rapaz de vinte anos que trabalha entre moças e não consegue aproximar-se delas.

> As pessoas tentam todos os meios para sair da solidão e acredito que, quando decidem escrever para uma agência ou serviço de casamentos, é porque já esgotaram outros recursos.

NA TARDE DE 31 de outubro, céu azul e temperatura de vinte e seis graus, quando milhares de paulistanos se divertiam fora da cidade ou nos seus parques, aproveitando o segundo dia do feriado prolongado, um grupo de doze pessoas refletia sobre a solidão. Num luxuoso apartamento do Alto de Perdizes, nove mulheres e três homens se dividiam em pares e se observavam calados, tentando descobrir os segredos uns dos outros. Era um exercício do programa de Maria Bernadete, estudante do último ano de psicologia e fundadora do Centro de Diálogo.

Depois de cinco minutos de observação, as pessoas elogiavam as joias, os vestidos, a simpatia, o olhar triste e afetuoso dos companheiros. Havia três viúvas, um solteiro, várias desquitadas. A anfitriã, uma mulher rica, estava deixando a família depois de quase trinta anos de casamento. Maria Bernadete promoveu uma dramatização, pessoas representando a angústia dos solitários: a história de dois amigos que viviam solitários no mesmo prédio e não sabiam que bastava vencer um lance de escada para acabar com a solidão. Maria e Tânia (ou Maria e João), os personagens, falavam de alegria, chuva, telefone, encontro, tristeza.

Dona Diná, que assumiu um dos papéis meio a contragosto, disputava com outra mulher, cada uma dizendo que era mais solitária do que a outra. Dona Diná, viúva há um ano, vive na companhia de um cachorrinho. Invejava a sorte da amiga, que tem um trabalho fora de casa, e dizia-se incapaz de assumir qualquer compromisso, por causa do cachorrinho.

Dirce falou das dificuldades que enfrenta sozinha uma mulher com mais de quarenta anos. Não encontra programa em São Paulo e, quando resolve ir a um restaurante, as pessoas olham desconfiadas. Uma vez, foi com uma amiga a um bar frequentado por jovens: eles a deixaram de lado, não houve possibilidade de entrosamento. O preconceito, dizia Dirce, é uma das causas da solidão em São Paulo.

No domingo seguinte, a reunião foi no apartamento de dona Diná, no bairro de Moema. Havia mais de quarenta pessoas, mas faltavam algumas do encontro anterior. O Centro de Diálogo tem sido assim, desde que começou a funcionar em fevereiro: as pessoas entram e saem, algumas não encontram nele a resposta para seus problemas. Outras leem os anúncios de Maria Bernadete e vão uma vez, só para ver como é. São voluntários de outros movimentos

(Neuróticos Anônimos, Comunidade, CVV etc.) que estão sempre aprendendo lições novas contra a solidão.

"Meu dia tem cem horas, o tempo não passa", queixava-se dona Diná, com o cachorrinho no colo. As amigas aconselharam trabalhar num hospital, ajudar alguém que esteja precisando dela, mas ela não pode fechar o apartamento e deixar o cachorrinho sozinho. Dona Diná ficou tão desorientada com a morte do marido, que não sabe nem andar de ônibus pela cidade.

São Paulo já teve outros grupos criados para combater a solidão, como o Centro de Diálogo. Começam sem sede, sem fins lucrativos dependendo de doações e da boa vontade de seus membros, que oferecem suas casas para as reuniões. São grupos que surgem e desaparecem. Maria Bernadete tem esperança de levar o seu para frente. Ela já fala em alugar uma sala para os encontros e está sempre disposta a receber novos participantes. Maria Bernadete, formanda de psicologia, não está ali como profissional. Ela confessa que, nas noites de sábado, também é uma moça solitária.

NUM VELHO EDIFÍCIO DO bairro de Santa Cecília, uma mulher convive com seu passado nos trinta metros quadrados do apartamento. Tudo o que ela tem está ali: a cama, o armário, a máquina de costura, a televisão quase sempre desligada, o rádio que mal funciona, meia dúzia de livros lidos e relidos, um Cristo na parede.

A mulher fala de suas saudades, da mágoa de ter perdido o único amor de sua vida. Ela me mostra os retratos de sua mocidade, da família, da fazenda. Era uma moça muito bonita. Conversamos, tomamos chá, falamos de São Paulo e de Minas.

Era para contar aqui a história dessa mulher. Seria uma história triste como suas lembranças. E apareceria ao lado de sua fotografia, certamente o rosto mais solitário dessa série de reportagens. Mas a mulher mandou um amigo pedir que não escrevesse nada nem mostrasse o retrato de seu pequeno mundo. Mandou pedir desculpas e explicar que a alma dela está doente.

Vamos esquecer a história e guardar as fotografias. Quem sabe a solidão não é a doença da alma?

SEGUNDA PARTE

Os solitários

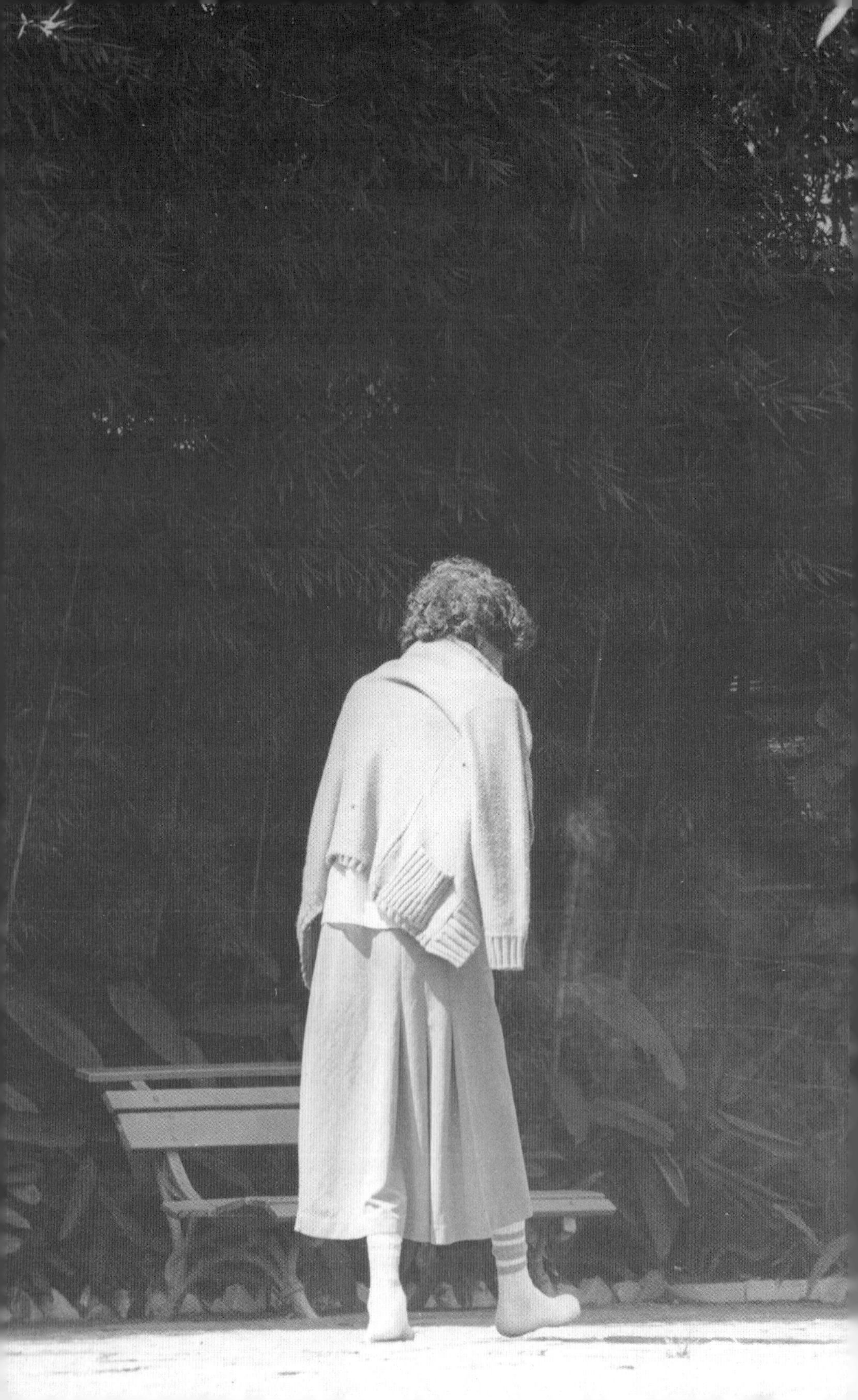

1
OS SOLITÁRIOS E SEUS SEGREDOS

EU ESTAVA AINDA REVISANDO OS ORIGINAIS DAS PRIMEIRAS reportagens sobre a solidão (as histórias da praça da Sé, o depoimento de Lúcia, as lições da psicóloga Ana Maria), quando recebi um comovente bilhete do meu colega Robson Costa, o repórter que havia meses vinha sonhando com a ideia de algum dia mergulhar nos segredos dos solitários de São Paulo. Robson foi, na verdade, o criador da pauta que tornou possível levantar o assunto, e, mais do que isso, foi ele quem me indicou alguns dos personagens que entraram nessas páginas. A sua amiga Antonieta Menezes, por exemplo. Ela é a mulher do bairro de Santa Cecília que, em seu pequeno apartamento de sala e quarto, me contou as tristezas de seu passado, mas não quis mostrar seu rosto no jornal. Quando, porém, leu as amarguras de outras pessoas solitárias, voltou atrás e fez concessões, quase arrependida: podia identificá-la, sim, e até publicar alguma fotografia — aquela face tão triste que eu descobri em minhas andanças pelo mundo de homens e mulheres que vivem sós nesta cidade imensa de multidões impassíveis e esmagadores prédios cinzentos.

"Eu estava muito amargurada, por isso não queria aparecer", me disse Antonieta ao telefone, uma voz amiga e grata. Na primeira semana de janeiro, ela fez um "bolo de reis" e tentou convidar-me para ir comê-lo em sua companhia. Não conseguiu me localizar, passou a festa da Epifania sozinha. Mas eu ligo para ela de vez em quando e pretendo, qualquer dia, cumprir a promessa de fazer-lhe uma visita.

"ESSA REPORTAGEM VAI MEXER com você", alertou-me o médico Marcos Lion, quando fui entrevistá-lo. Concordei com ele, porque na verdade já estava mexendo. Como a amiga Antonieta, dezenas de pessoas entraram, de repente, em minha vida. Comecei a encarar São Paulo e sua gente, até agora tão distante, com olhos diferentes. A primeira vez que dei por isso foi no último domingo do ano, saindo de um cinema da avenida Paulista, esquina da rua Augusta. Foi quando cruzei com um mendigo e — não sei quem tomou a iniciativa — nos cumprimentamos e sorrimos. Nada planejado, não tinha prometido a mim mesmo sorrir para os mendigos da cidade. Simplesmente aconteceu, como se aquele desconhecido fosse um dos "amigos" que uma noite descobri na solidão da praça da Sé.

Em vinte e um anos de jornalismo, a solidão de São Paulo foi a reportagem que mais me comoveu. Uma vez, início de 1973, experimentei emoções semelhantes, quando fiz o cursilho da cristandade para escrever sobre ele. Mas foi uma emoção mais íntima e pessoal, chorando lágrimas que saíam do meu passado e da pressão das circunstâncias. Agora foi uma sensação que veio dos outros — o olhar magoado de Antonieta, a face deformada dos hansenianos, a voz desesperada da solteirona, o desamparo dos mendigos... a solidão de dezenas de homens, mulheres e até crianças que, nesse espaço de noventa dias, começou a povoar minha alma e meus pensamentos.

Esta reportagem foi também um reencontro com São Paulo, cidade que, mineiro exilado, em vão tentei abandonar, pois descobri que lhe queria bem como se fosse minha terra. Fazia cinco anos que eu trabalhava em assuntos internacionais, pensava nas crises do mundo, enquanto 120 milhões de brasileiros sofriam seus problemas bem aqui a meu lado. Em março de 1982, cobrindo eleições na Guatemala e El Salvador, senti as balas zunindo sobre a minha cabeça, sensação real de perigo — e naturalmente tive medo. Mas foi só desembarcar de volta no aeroporto de Congonhas para esquecer a tragédia: as pessoas estavam morrendo a milhares de quilômetros de distância, o barulho que me assustava agora eram apenas os escapamentos dos automóveis. A solidão me devolveu à minha cidade e nela identifiquei minha velha paixão por São Paulo.

Às vezes ouvi confidências, como se fosse padre ou psicanalista. Pessoas solitárias telefonaram e escreveram, contando a amargura de sua solidão. Não pediam nada, queriam apenas desabafar. Talvez esperassem uma palavra. Liguei para algumas, respondi a mais de uma carta. Uma moça de vinte e oito anos, que passou o Natal sozinha, me disse que meu telefonema foi seu melhor presente de Ano-Novo. E me falou de sua dor e de sua desesperança.

"Minha beleza é meu desgosto", ela confessou, descrevendo a solidão de uma mulher bonita que tem medo de se jogar nos braços de qualquer homem, medo de morrer jovem, medo de gritar, para o mundo todo ouvir, o grito que tem preso na garganta: "Quero viver, me ajudem".

O que ela escreveu, o jornal não podia publicar. O que ela me confiou ao telefone, eu não sabia como resolver. Tudo o que aprendi sobre a solidão dos outros estava nas páginas de minha reportagem; não sou nenhum especialista no assunto. Mas, dezenas de homens e mulheres recorreram a mim, como se descobrissem nas histórias que contei uma resposta para sua própria solidão.

Luciene foi uma das primeiras a escrever, e *O Estado de S. Paulo* publicou sua carta, dando apenas as iniciais de seu nome. Era o depoimento comovedor de uma viúva de quarenta e três anos, abandonada pelos filhos. Quase não tinha amigos, ninguém a convidou para as festas de Natal e Ano-Novo. Lendo a reportagem, decidiu vestir sua roupa mais bonita e ir para a praça da Sé. E lá, encontrou outras pessoas solitárias, gente desconfiada que a olhou de lado, mas acabou tornando-se sua amiga. Luciene voltou alegre para casa, na madrugada de 26 de dezembro, mas depois experimentou muita decepção. Entre as dezenas de homens e mulheres que escreveram para ela, alguns só queriam insultá-la. Ou desconfiavam dela, achando que seu desabafo público não passava de uma armadilha. Luciene recebeu proposta de casamento e convites para passar a noite num motel. Quando recusou, não compreenderam de onde vinha sua solidão.

Outros leitores que também escreveram para *O Estado de S. Paulo*, falando de suas experiências, tiveram igualmente a reação de desconhecidos: eram pessoas oferecendo ajuda ou confidenciando, como se essa confidência pudesse confortar, que também elas sofriam dramas iguais. Luciene e outros solitários conheceram desgostos e decepções, mas experimentaram também sensações de alegria e solidariedade.

A MESMA COISA, ALIÁS, aconteceu com Lúcia Ribeiro, a moça mineira que publicou um anúncio pedindo socorro para sua solidão. Ela tinha medo de ver sua fotografia e sua história publicadas no jornal. Quando saiu a reportagem correu à banca, comprou dois exemplares e ficou à espera da reação. Que pensariam as 370 pessoas, a maioria ainda desconhecida, que lhe haviam escrito, respondendo a seu apelo? A resposta foi mais uma vez de amor e solidariedade. Lúcia recebeu mais vinte cartas, todas aplaudindo o seu gesto, todas testemunhando a alegria de amigos quase clandestinos que agora se sentiam felizes com a revelação de sua existência.

"Que bom que você existe e resolveu aparecer", disse-lhe um advogado a quem ela telefonou justamente na tarde do dia em que o jornal contou sua história.

Pessoas que tiveram suas cartas publicadas ao lado do depoimento de Lúcia voltaram a escrever, todas satisfeitas de saber que ela realmente vivia, mineira e solitária, embora tanta coisa tivesse mudado em sua vida naqueles últimos três meses, desde que seu anúncio saiu no jornal. Lúcia ganhou novos amigos e um deles fez questão de ir à minha casa conhecer-me. Era fim de ano, mal falamos de solidão e da reportagem. Falamos de festas, de São Paulo e do Brasil, como se fôssemos velhos conhecidos.

O anúncio no jornal, as centenas de cartas e a reportagem que revelou a sua experiência de solidão mexeram profundamente com a vida de Lúcia Ribeiro, uma moça madura e senhora de si, porque ela acabou se expondo. Colegas a reconheceram na universidade, vizinhos leram sua história em Belo Horizonte. Por isso, houve um momento em que ela se assustou. Duas vezes, jornalistas da *TV Globo* lhe pediram uma entrevista, apenas uma palavra sobre as tristezas e as alegrias de uma moça solitária que, de repente, descobre um punhado de amigos.

A felicidade de Lúcia, depois de quase 400 cartas...

Foto: Sidney Corralo

Foto: Joveci de Freitas

... e a amargura de Antonieta, que não queria aparecer.

Lúcia recusou. Não queria dramatizar. Definitivamente, não apareceria na televisão. O pessoal da *TV Globo* chegou a duvidar de sua sinceridade. Quem sabe o anúncio não passaria de um artifício, do recurso de uma estudante que preparava sua tese de mestrado? A tese estava mesmo nos planos de Lúcia, mas era uma ideia nova que ela ainda pretendia submeter ao orientador. A reação de centenas de desconhecidos à publicação de seu anúncio a impressionou muito e ela, de fato, pensou em transformar o episódio no tema de seus estudos. Até agora, porém, são apenas planos. Lúcia empacotou as cartas num arquivo precioso, companhia eloquente no silêncio de seu pequeno apartamento, testemunha viva da solidariedade de São Paulo.

Lendo as histórias de outras pessoas que se sentem sós, Lúcia Ribeiro compreende agora o que um dia lhes falou o pai — a ela e aos oito irmãos:

> Vocês todos juntos não podem suprir a falta que faz a sua mãe.

Isso foi em Belo Horizonte, há mais de cinco anos. Seu pai, militar reformado e homem austero de costumes inabaláveis, de repente começou a mudar os hábitos, desorientado no seu mundo de viúvo com a perda da companheira. Era como a experiência de Tomás e de Cida, o homem e a mulher que mostraram nessa série de reportagens o que significa a morte de alguém que compartilhou com a gente sua vida.

NO PRIMEIRO DOMINGO DO ano, fui passar a tarde com os doentes do hospital de hansenianos de Jundiapeba, município de Mogi das Cruzes. Todos tinham ouvido falar da reportagem que revelou sua solidão, mas nenhum deles tinha lido. Quando cheguei ao quarto de dona Ida, uma mulher que está internada há mais de cinquenta anos, ela estava furiosa comigo:

> Fiquei muito magoada, você publicou o meu retrato.

Havíamos combinado que a foto sairia ao lado da história e do nome dela; só não sairia o sobrenome. Mas os parentes reclamaram, disseram que dona Ida estava desenterrando coisas do passado. Abracei esta mulher, tentei convencê-la de que seu depoimento tinha comovido milhares de pessoas e ia chamar um pouco de atenção para o abandono dos hansenianos. Sorriu, ficamos amigos. Ou ela escondeu sua dor, para não me amargurar.

Outros personagens destas histórias, mesmo aqueles que concordaram em aparecer, sentiram o peso da publicidade de seus segredos, quando se viram nas páginas do jornal. Alguns até se esconderam dos amigos. Acredito que, inadvertidamente, tenha magoado a mais alguém, como a dona Ida. Não era minha intenção, e espero que me perdoem, pois estou convencido de que estas histórias de solidão, algumas de heroica coragem, levaram esperança e conforto a milhares de pessoas solitárias.

2
OS PÁSSAROS SILENCIADOS

A chuva desenhava pássaros
no rosto indiferente das vidraças.
Antes que cantassem
apaguei-os com a mão.

ESTES VERSOS, RETRATO DA ALMA SOLITÁRIA DE UM POETA, chegaram à redação do jornal nas páginas de *O punhal lúcido*, uma bela edição de poemas de Milton de Godoy Campos, o primeiro leitor a reagir à série de reportagens que eu estava publicando sobre a solidão de São Paulo. Depois dele, escreveram dezenas de leitores, e *O Estado de S. Paulo* transcreveu algumas dessas cartas. Eram depoimentos de amor e solidariedade, confissões corajosas de pessoas que também vivem sozinhas, pedidos de socorro de gente que se animou com as histórias de solidão dos outros solitários. Nem todas as cartas poderiam sair no jornal; algumas eram desabafos amargurados que pediam discrição e anonimato.

1

Esta é uma carta de agradecimento pelo bem que o senhor, devido à reportagem iniciada domingo passado, neste jornal, fez a milhões de pessoas que, de uma maneira ou outra, se viram enquadradas neste tema, solidão, inclusive eu. Sou viúva há oito anos, tenho quarenta e três anos, sozinha, financeiramente independente e posta à margem da vida por quatro filhos e dois genros.

Enquanto eu lia cada depoimento, eu chorava, pois só quem já sentiu ou sente solidão é que pode compreender a dor alheia. Por exemplo: hoje, sábado, são 21 horas, estou sozinha, escrevendo e ouvindo Beethoven, só que desta vez não estou sofrendo tanto, porque, depois de ler durante toda a semana sua reportagem, cheguei à conclusão de que não sou a única e que existem milhares de casos infinitamente piores do que o meu. Eu ainda posso me dar ao luxo de ouvir música, ler bons livros (às vezes péssimos, como foram dois que li de Gabriel García Márquez — *Crônica de uma noite anunciada* e *O cão de olho azul* — deprimentes e mórbidos para meu gosto). Querendo, também posso ir a cinemas e teatros, mas milhares de pessoas não podem fazer isto e deve ser desesperador, penso eu.

A solidão é muito traiçoeira, toma conta sem que se perceba e é muito difícil ir embora; muitas vezes, quase impossível. Eu procuro, de todas as maneiras, combatê-la, mas às vezes sinto-me tão cansada, tão desanimada, que tenho vontade de que ela me sufoque de uma vez por todas. Outra forma de combatê-la é cultivando amizades por correspondência: tenho amigos nos quatro cantos do Brasil, utilizando este meio. É ótimo, nós trocamos postais, poesias, contamos nossos problemas, nos aconselhamos, tudo por intermédio de cartas. Tenho amigos de ambos os sexos e das mais variadas idades. Isto ajuda a passar minhas noites de sábado (são as mais longas, pois durante a semana trabalho fora, e é a minha salvação). Chego a escrever às vezes de quinze a vinte cartas, e isto me distrai muito, pois não gosto de TV. Também não gosto de ir à casa de outras pessoas, pois depois de meia hora de papo acho tudo muito chato, as mulheres (a maioria) só sabem falar mal das empregadas, do custo de vida, de crianças (filhos) e das insatisfações que têm com os maridos. Estes também só sabem falar de mulheres, carros, futebol. Eu acho que nasci em século errado, pois tudo o que eu gosto não encontro ninguém para compartilhar comigo (daí o meu retraimento, gosto muito de um bom papo, das coisas simples da vida, detesto pessoas esnobes, sofisticadas). Gosto muito, quando estou para cair na fossa, de andar pela cidade, descobrindo coisas lindas ou novas belezas e, acredite, sempre encontro. Eu descubro beleza até no feio.

Nesta época do ano, como acredito aconteça com todo mundo, eu fico mais triste, mais desanimada, devido à marginalização (este é o termo certo) que sofro pelos meus familiares e "amigos". Todos já fizeram planos, e nenhum deles nem sequer perguntou aonde irei passar este Natal. Não recebi também nenhum convite deles e, por ironia, dois amigos fazem questão que eu vá passar o Natal com eles, mas um mora em São Luís do Maranhão e outro em Santo Ângelo, RS, e ambos, devido à distância (gastos, principalmente), estão fora de cogitação. Mas, este ano, tomei uma decisão: colocarei minha melhor roupa, me arrumarei, como se fosse receber visitas, e ficarei na praça da Sé, conversando com todas as pessoas solitárias como eu. Depois, entrarei na igreja de São Bento (é a igreja de que mais gosto, embora não seja religiosa), rezarei por todo mundo, incluindo especificamente o senhor, e depois voltarei para casa. E só espero que nada de mal me aconteça. Então, virei para casa, talvez chore e depois durma. "Bela" perspectiva, o senhor não acha? *L.C.C.*

2

No que se refere à solidão do homossexual, é deplorável o que a sociedade menos esclarecida comete contra aqueles que ela ignora por preconceitos sem razão de ser. A solidão do homossexual vem da marginalização que ele sofre, se ele se atrever a se assumir. Começa na família, onde os pais acham que ele deve continuar com a tradição, o casamento, os mesmos pensamentos, as atitudes. No trabalho, nem se diz. Quantos não foram mandados embora porque os patrões confundem vida profissional ou desempenho profissional com vida particular? E o ridículo? Muitos de meus conhecidos não suportaram a rejeição familiar, profissional e o desamor e se suicidaram. Outros, embora de nível universitário, foram ser cabeleireiros ou costureiros, porque, neste caso, a sociedade os tolera. Outros se casaram, usando a esposa como escudo social, como a sociedade consagrou.

E o homossexual que quer ser honesto consigo mesmo? E o que não quer ser cabeleireiro, costureiro ou artista? Com que direito e onde está escrito que os heterossexuais são superiores aos homossexuais, a ponto de ridicularizá-los? Há muitos, inclusive, que afirmam, como se fossem autoridades qualificadas, que os homossexuais corrompem os heterossexuais sexualmente. Ora, só se deixam levar aqueles que têm tendência para isto.

Cada um nasce e tem missões e experiências próprias a seguir. Eu acho que isto deve ser respeitado.

Para finalizar, transcrevo o seguinte pensamento: "Censura? Um minuto de autoanálise nos fará sentir que não estamos muito certos quanto à nossa própria resistência, se acaso estivéssemos no lugar daqueles que jazem caídos em desapreço". Portanto, vamos parar de apedrejar nosso próximo. Todos nós temos nossas misérias e queremos ser tolerados. Vamos nos respeitar. *Roger Hutton*.

3

Eu sou casado há dezessete anos, pai de oito filhos, sendo dois meninos e seis meninas, sendo que uma faleceu. Mas, por motivo que nem sei entender, eu e minha esposa vivemos na mesma casa, mas faz mais de dois anos que não conversamos.

Ela pretende se desquitar, mas como tudo que adquiri foi na base do sacrifício, porque hoje sou proprietário e tenho as minhas crianças, que no meu entender não têm nada a pagar pelo seu nascimento, eu continuo num sofrimento sem ter com quem conversar, por incrível que pareça não tenho o direito de brincar com elas.

Meu único divertimento é escrever, porque não sou de sair de casa. Tenho um barracão no fundo do quintal e ali passo os dias, meses e anos. Não tomo qualquer tipo de bebidas, nem refrigerantes. Não jogo, não gosto de televisão. Meu único vício é fumar e não torço por time de futebol. Só me entretenho lendo sobre política.

O *Estado* chega às 12 horas. Até as 23 horas, eu já li e reli todo. Meu maior prazer seria ter com quem me corresponder. Eu ficaria muito agradecido, porque sei que tenho o futuro em minhas mãos. Não sou velho, tenho trinta e oito anos. *Argemiro de Proença*.

4

Estamos numa época em que o relacionamento humano se vai perdendo cada vez mais, por causa das coisas... Solidão é bastante comum nesta cidade grande. Ela é uma sensação de abandono, está entre o medo e o prazer, está dentro de nós. As pessoas livres sofrem eternamente de solidão. Não existe pior solidão do que a dos viciados em drogas. É uma doença que mata mais do que o câncer. Meu dia tem cem horas, o tempo não passa. Nosso amor era um amor plantado, como uma árvore que vai crescendo cada vez mais. Sinto falta até do silêncio de Dora! A companhia nem sempre precisa de uma palavra. Aceitar o desafio de se olhar e se reconhecer sem medo, num espelho, enfrentando a realidade de si mesmo. Solidão é medo. A solidão. Triste, pesada, querida...

Não podia me calar diante de sensações, vivências, soluços que conheço tão bem. Doeu-me, e muito, quando me deparei com esses depoimentos e vou dizer-lhe mais: solidão dói, dói e dói, ela obriga a gente a entrar num ambiente fechado e gemer, gemer mesmo para aliviar a dor do peito, sabe o que é isso? Ela pesa muito, o corpo da gente cresce, fica enorme. Ela rói devagarinho, sem pena, vai triturando-o sorridente, mansamente. Chorei a morte de Dora, senti-me no banco dos solitários, viajei pelas noites dos abandonados, ajoelhei-me nas escadas da igreja ao lado do mendigo, encontrei-me na solidão deles, apalpei-os e meditei muito.

Continue mostrando nossa realidade, que é universal, tente sacudir a consciência do ser humano, porque o mundo morre de falta de amor. Perdoe-me se estou me excedendo, estou envolvida demais com seu trabalho. Posso dizer-lhe mais alguma coisa? Esse material é digno de um livro; por que não o faz? *Santa Catarina Fernandes da Silva.*

5

Eu já esperava que, mais dia menos dia, alguém em nome de muitas teria coragem de pedir socorro, gritar e depois ser socorrida. Eu, por medo, não tive coragem e continuei me torturando, sofrendo a dor da solidão. Obrigada, "mineira solitária". Só agora consigo ver quantos estão na mesma situação, incluindo-me, no "grupo solidão".

Perdi meus pais e irmãos e fiquei sozinha. Enfrentei a grande São Paulo, sozinha. Não encontrei ninguém que me estendesse a mão, desse apoio, uma palavra de carinho. Não, só encontrei diante de mim pessoas fingidas. E quando se diziam amigas era para se apoderarem de uma pequena herança que me pertence. Hoje, meus melhores amigos são meus patrões, que me dão todo apoio e confiança como cargo de "dama de companhia".

Os dias são longos, as noites mais ainda, de olhos arregalados parados no ar, postos no teto, querendo gritar bem alto... ou sair correndo pra rua e, se possível, pedir "fale comigo, estou só". E se isso acontecesse diriam: "Ela é uma louca". Sim, eu responderia, eu sou louca, eu quero falar, agir, viver como todo ser humano e amar, além de tudo.

Estou cheia de ser elogiada por pessoas a meu redor. Elogios a gente recebe sempre, mas o que eu desejo é a amizade sincera, um ser pra gente poder despejar toda essa angústia dentro de mim, ter com quem sair no fim de semana, se possível sonhar, porque não se proíbe uma pessoa de sonhar. Não sei se serei aceita neste mundo, não sei se alguém poderá estender-me a mão, me dar razão para que eu sobreviva, porque, sei, a única coisa que resta a fazer é partir para o outro mundo junto de Deus. É neste Natal que o desespero se apossará mais uma vez de mim, sem uma amiga, sem uma rosa, sem um amor e só restarão lágrimas, acompanhadas de solidão. *Lia.*

6

Todos somos solitários em maior ou menor grau. No meu caso em particular gostaria de dizer que sou uma mulher homossexual que encontra dificuldades de integração no grupo predominantemente heterossexual e total falta de integração no grupo homossexual propriamente dito. Não aceito e nem sou aceita pelos meus pares (?), isto porque, infelizmente, a maioria deles vive uma existência contraditória, amoral, promíscua, degradante.

Recuso-me terminantemente a compartilhar com outras mulheres os descaminhos da licenciosidade e as tortuosas veredas do sexo aviltado.

O homossexualismo não pode ser tomado como um todo. O que existe são os indivíduos homossexuais, cada um vivenciando sua dimensão de pessoa numa experiência de amor ou de egoísmo. E, num mundo violento onde a dignidade é um valor bastante esquecido, encontramos, infelizmente para mim, ainda mais degradações entre os homossexuais.

O meu homossexualismo não é uma opção. E nem poderia ser. É apenas a minha dimensão do amor. Nem por isso concordo com aqueles que, no frenesi das paixões narcisistas, satisfazem as ânsias da carne de maneira totalmente torpe. Vivo em abstinência sexual porque até agora não encontrei alguém que tivesse os mesmos sentimentos que eu.

Decidi-me então escrever para o jornal *O Estado de S. Paulo*, com o qual fui alfabetizada, e dar o meu testemunho de que, mesmo sendo uma homossexual, posso viver de acordo com elevados padrões de moral.

E nem gostaria de ser anônima. Talvez existam pessoas na mesma situação que eu que poderiam sentir-se confortadas com o meu depoimento.

Agradeço antecipadamente ao grande jornalista Júlio de Mesquita Neto a permissão para a publicação de minha carta neste magnífico jornal. *Carol Soares.*

7

Tenho acompanhado com grande interesse as reportagens que este jornal vem publicando sobre a solidão. A propósito, gostaria de remeter-lhes a poesia de Betty Vidigal que, acredito, com sensibilidade e rara felicidade, conseguiu em poucos versos nos mostrar uma triste realidade, que se repete milhares de vezes, diariamente, em todos os cantos dessa terra. Os versos são estes:

"Telefone — O telefone que nunca toca/olha atento e sério/para a mulher só.

Ela cruza o espaço/de um apartamento/pequeno, sensato,/ bom investimento,/num sussurro de saias/e samambaias/que se cumprimentam.

Toca a pele lisa,/plástica, estática/de seu telefone,/com os dedos longos,/mal acostumados/a acariciar.

Toca o disco inútil,/numerado, exato,/do objeto inerte/que seria a máquina/de conversar.

O telefone que nunca toca,/em mudo assentimento,/ se deixa tocar."

Como pode ver, a expressão pura e triste da solidão. *Carlos Antunes de Mello.*

8

Li atentamente a reportagem sobre o tema "Solidão", por sinal bem abordado, típico de jornais com a envergadura moral do *Estadão*. Em seguida encontrei na coluna "Dos Leitores", o belo verso moderno de Betty Vidigal discorrendo sobre o mesmo tema e o desabafo da leitora L.C.C.

Muito meditei sobre o assunto, chegando à conclusão de que, mais dia ou menos dia, todos chegam lá, alguns desde a infância como eu, outros já na velhice, quando, improdutivos, já não passam de trastes incômodos, apenas ocupando espaço.

Basta observar os bancos dos jardins, as mulheres da avenida São João, os cinemas da madrugada, as boates da boca do luxo, os taxistas da madrugada, os benfeitores de gatos e pombos da cidade, os bêbados abandonados nos desvãos das portas silenciosas, no trabalho dos vigias de bancos e casas comerciais etc.

A pior solidão é, sem dúvida, quando existe a família, e cada um fala uma linguagem diferente, dissociativa, apenas convivendo em comum, pelo privilégio do teto protetor. *I.O.N.* Campos.

9

Continuam as manifestações dos leitores sobre o interessante tema "Solidão", sabiamente abordado por interessantíssima reportagem de *O Estado de S. Paulo*.

Persiste em quase todas a mesma queixa do abandono, do isolamento. Pobre humanidade! Atada que se encontra à carga do passado e ao sonho do porvir, se atormenta tanto quanto percebe a necessidade de fugir dessa ilusão: o tempo; o ontem e o amanhã. Essa percepção se origina, justamente, no encontro com a solidão, esse estado psicopreparatório de uma revolução interior, capaz de conduzir-nos ao entendimento de nós mesmos.

Muito mais que um mal, a solidão é bênção redentora da criatura. O que faz sofrer não é a solidão, mas a resultante de sua incompreensão: a angústia. Esta sim. Filha do egocentrismo, torna-se muito dolorosa, sempre que a visão do fato, do que é, reduz o domínio do pensamento, permitindo aquele estado de vazio que apavora o ego.

É este medo de si mesma que leva as criaturas a se queixarem da solidão, já que só conseguem existir na barafunda da convivência. E a convivência é o que somos: esse eterno pendular do pensamento, movimentando as trilhas da existência, com avanços e recuos, ânsias e sobressaltos, desejos e frustrações...

A solidão é uma chamada para a compreensão da realidade, um convite ao desapego total, uma abertura para o entendimento da lição de Jesus: vivei no mundo sem ser do mundo. *Otto de Mello Marcondes Machado.*

10

Acompanhei com vivo interesse as esplêndidas reportagens sobre a solidão do homem moderno. Tal foi um dos temas que me levaram a escrever este depoimento (*O Homem-Plural*), onde se reflete o meu objetivo: comprovar a tragédia do homem-singular, sozinho, nos esquemas científicos do século XIX e no quadro eletrônico do século XX. Se não transformarmos o indivíduo solitário em criatura humana, em homem-plural, portanto, caminharemos cada vez mais para o reino da escuridão, que é o começo da escravatura com todo o seu arsenal de misérias, sofrimentos e lágrimas. Para o meu pequeno entender, somente o livro literário e cultural, que é a chave do conhecimento, o que nos leva à verdade das coisas, pode ajudar este desprotegido indivíduo a perambular, como alma penada, pelo asfalto e pelas mansões. *Mário Graciotti*, Academia Paulista de Letras.

CARTAS DE LEITORES E palavras de amigos que vieram comentar comigo algumas dessas histórias são testemunhas de que a solidão é dor mais comum do que se imagina. De repente, passei a prestar atenção nas canções, brasileiras e estrangeiras: como se fala, como se chora de solidão! E descobri que poetas como Carlos Drummond de Andrade, que repetidamente denunciam o vazio das cidades e das pessoas, são capazes de desvendar a solidão em lugares não imagináveis. Drummond fala da solidão de Deus, lembrou Raif Kurban, comentando a série de reportagens, em sua coluna de charadismo em *O Estado de S. Paulo*:

> Domingo descobri que Deus é triste,
> pela semana afora e além do tempo.
> A solidão de Deus é incomparável.

Como, se Deus é amor e felicidade sem limites? Ou a solidão de Deus vem do homem, incompreensível ingratidão? Por isso, melhor não tentar definir e deixar que cada solitário se mostre na medida de sua angústia e seu desamparo. Ou de sua alegria e sua paz. Solidão triste, pesada, querida...

TERCEIRA PARTE

A solidão, 30 anos depois

Foto: Arquivo pesso

Mayrink com Leontina e doentes no hospital de Jundiapeba.

Mayrink com o paciente Manoel dos Santos Soares.

NESTA CIDADE DE 11.253.503 HABITANTES, ONDE SE PODE passar três horas parado no Viaduto do Chá sem ouvir voz humana, só o ruído surdo dos automóveis e suas buzinas, os solitários bebem em 15 mil bares, comem em 12,5 mil restaurantes, frequentam 184 casas noturnas. Mais de 500 mil paulistanos — precisamente 503.971, segundo os dados do Censo de 2010 do Instituto Brasileiro de Geografia e Estatística (IBGE) — moram sozinhos em apartamentos, casas e condomínios.

Os números mudaram, mas o quadro da solidão continua o mesmo. Neste Natal de 2013, exatos trinta e um anos após a publicação das histórias deste livro, originariamente uma série de sete reportagens no jornal *O Estado de S. Paulo* em dezembro de 1982, quando saí às ruas, visitei hospitais, escolas, conventos e celas de uma penitenciária, para descobrir a dor — ou a alegria — de pessoas que vivem ou se sentem sozinhas.

Leontina com alguns pacientes.

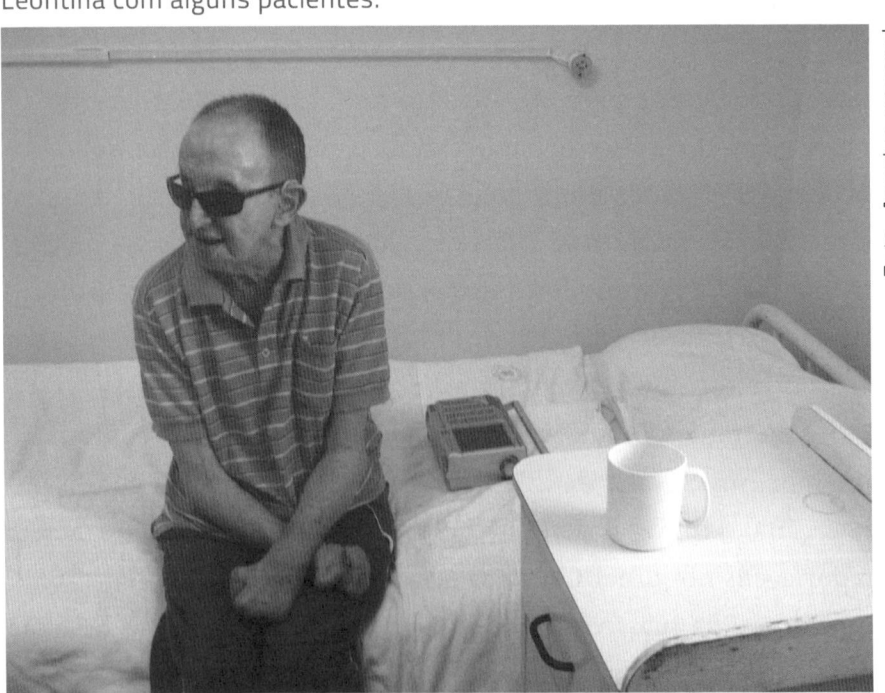

O paciente Manoel dos Santos Soares.

Ouvi dezenas de depoimentos e muitas confidências, ao longo de três meses de pesquisa, a partir da sugestão de um colega e amigo, Robson Costa, o repórter que, como eu escrevi na dedicatória da primeira edição, "viveu a solidão desta Cidade e sonhou com esta reportagem". Robson morreu de câncer pouco depois de, quase cego, folhear o livro com a emoção de um criador que acaricia a obra realizada.

Outra vez, numa véspera de Natal, procurei alguns de meus personagens de três décadas atrás. Alguns viraram saudade e lembrança, porque já partiram deste mundo ou se perderam de meu horizonte, provavelmente longe de São Paulo, quem sabe retornando à terra de origem, como ocorreu com Lúcia Ribeiro, a mineira solitária do Capítulo 2, que voltou a morar em Belo Horizonte.

Comecei pela praça da Sé, nas escadarias da catedral, mesmo cenário da reportagem, onde o repórter fotográfico João Pires registrou, em 1982, comoventes imagens de solitários anônimos — um mendigo abandonado e o homem da mala, um sujeito inacessível e misterioso que não quis saber de conversa.

Na noite de 12 de dezembro de 2011, encontrei nos degraus da entrada principal da igreja o pedreiro aposentado Expedito Gomes de Souza. Fiquei surpreso quando ele me disse que era mineiro de Ponte Nova, de onde se mudou ainda menino para Dom Silvério, município vizinho na Zona da Mata. Surpreso, porque Ponte Nova era também a cidade de Íris Silva das Neves, o morador de rua que entrevistei ali, naquele mesmo lugar, na primeira reportagem. Muita coincidência, quase inacreditável, mas, se alguém duvidasse, eu teria o testemunho de meu amigo Sebastião Ferreira da Silva, o Ferreirinha, ex-motorista e colega meu na sucursal paulista do extinto *Jornal do Brasil*, que me acompanhou nessa incursão pela praça da Sé.

Aos setenta anos idade e quase cinquenta de São Paulo, Expedito sai todos os dias do bairro de Campo Limpo, na Zona Sul, para se distrair no centro.

"Pego ônibus e trem, sem pagar passagem, e em uma hora estou aqui nesse movimento", conta o pedreiro aposentado, orgulhoso de haver trabalhado na construção da linha azul do Metrô, entre as estações Sé e Santana. Conversa com quem cruza na região, come nos botecos ou entra nas filas de distribuição de alimento, frequentes por ali, ouvindo histórias e fazendo amigos. "Melhor que ficar em casa, onde vivo o tempo todo sozinho." Expedito já foi casado, separou-se da mulher e não achou outra que lhe agradasse. "Mulher tem muita, mas de umas cem é só uma que presta", lamenta o mineiro de Ponte Nova, sem esperança de refazer a vida, a essa altura. Solidão? Ele sente falta de companhia, mas não fala nesta palavra.

A poucos metros da escadaria, conversei com Claudemir Francisco Alvarenga e Rodrigo Alves, moradores de rua que dividiam um banco do jardim da praça, depois de terem passado o dia pedindo ajuda — algum biscate ou um prato de comida — quase sempre sem resultado. "Hoje ainda não comi nada e já são quase dez horas da noite", queixa-se Claudemir, de quarenta e cinco anos, cordeiro de profissão, mas faz tempo sem serviço. "Cordeiro é o pintor de parede que se pendura nos prédios", explica ele, para falar em seguida dos riscos da profissão. Claudemir e o amigo Rodrigo Alves, de trinta anos, têm irmãos e sobrinhos em São Paulo, mas moram na rua.

Solidão para eles é a saudade de pai e mãe, "pois irmão não conta e fora isso, só tem Deus". Os dois já foram casados, agora são divorciados. Aceitaram uns pacotes de biscoitos que eu e o Ferreirinha lhes oferecemos, mas gostaram mesmo foi de a gente ter parado para conversar com eles. Exatamente como aconteceu vinte e nove anos atrás, quando me sentei ao lado de Íris Silva das Neves para falar de Ponte Nova, cidade vizinha de Jequeri, onde nasci.

LÚCIA RIBEIRO VOLTOU PARA Minas e foi morar perto da família, irmãos e sobrinhos, em Belo Horizonte. Como pretendia, fez uma tese de mestrado sobre a solidão, aproveitando lições e sentimentos da experiência que viveu em São Paulo, ao publicar um anúncio no jornal *O Estado de S. Paulo* e recebeu, em resposta, centenas de cartas de amizade e apoio. Quando lhe disse que ia reeditar o livro e que gostaria de saber como ela estava, trinta anos depois, mandou-me esse depoimento, que transcrevo aqui:

"Quando as respostas ao anúncio começaram a chegar, vivenciei vários sentimentos como alegria, perplexidade, inquietação, com tudo que as pessoas diziam sobre si mesmas, sobre solidão e os questionamentos sobre mim. Respondi a todos aqueles que deram endereço, encontrei com algumas pessoas.

Passado algum tempo, comecei a pensar sobre a solidão. O que é solidão? Como e por que ela se manifesta? Para encontrar respostas a estas questões resolvi fazer um estudo, buscando através de filósofos, de pensadores, das pessoas que me responderam, uma compreensão do sentimento que eu estava vivenciando.

O estudo me levou a compreender que o homem é um ser aberto a possibilidades, dentre elas a solidão. A solidão possibilita o encontro do homem consigo mesmo, com os outros e com o mundo. Este encontro acontece no espaço de suas relações com os outros e com o mundo, no seu tempo vivido... Na solidão os outros e o mundo estão sempre presentes.

Hoje, tantos anos depois, quando sinto solidão aproveito a oportunidade para reavaliar as minhas experiências, alegrias, tristezas, perdas e ganhos, e minhas expectativas de futuro. Eu me tornei melhor com esta experiência."

―――――

TOMÁS SOARES VIVEU MAIS dezesseis anos após a morte de Dora, que um câncer levou em janeiro de 1982, após vinte e sete anos de união. Sentiu tanta falta dela, que um segundo casamento não foi capaz de preencher o vazio. Morou algum tempo no ABC paulista, não se adaptou e, quando se separou da nova companheira, foi morar com uma das filhas, Dulce, na mesma casa no bairro de Perdizes onde havia criado a família. Dulce e sua irmã Derci tentaram instalar o pai num apartamento, para que tivesse mais liberdade, como gostava, mas ele não quis. Tomás passou o resto da vida numa confortável edícula do sobrado de Dulce. Ele mesmo construiu um armário, a cama e uma escrivaninha — "o recanto do Tomás", como ele dizia.

"Papai curtia a presença das filhas e dos netos — Juliana, Guilherme, Gustavo, André e Luiz Eduardo — entendia-se bem com os genros, Carlos e Sérgio, mas a gente via que ele continuava sentindo a falta da mamãe", lembrou Dulce, em outubro de 2011, quando fui à sua casa conferir a história de Tomás. No depoimento que ele me deu para o livro-reportagem *Solidão*, ficou marcada em minha mente a expressão que ele usou para definir "um amor plantado", como era o dele e de Dora: benquerença. "O bem-querer de uma esposa é um bem-querer especial, impossível de ser substituído", disse Tomás, que recorreu também a esse sinônimo de benquerença para descrever o amor de Dora.

Três décadas depois, Dulce e Juliana, a neta mais velha, emocionam-se com as lembranças de Tomás, conferindo em cada canto da casa o vazio que ele também deixou. Dulce gostou que o pai fosse morar com ela, num cantinho bem ao jeito dele, depois de Tomás ter recusado, num primeiro momento, o convite que as filhas lhe fizeram, quando se prontificaram a acolhê-lo em sua companhia.

"Eu jamais quis morar com ninguém", repetia Tomás meses após a morte de Dora, acrescentando que fazia questão de ficar bem perto, mas ao mesmo tempo longe. Mudou de ideia e cedeu, após a experiência do segundo casamento, ao sentir que a saudade aumentava — aquela saudade que, por causa da falta do sorriso e da benquerença de Dora, ele definia como solidão.

SE A SOLIDÃO DE um presidiário se mede pelo tempo — só vai acabar lá longe no horizonte, quando a pena for cumprida — Joel Camargo de Lima e Florentino Gomes Neto, que visitei na Penitenciária do Estado, no bairro do Carandiru, não devem ser mais solitários. Os dois foram postos em liberdade, conforme informação da Secretaria da Administração Penitenciária, obtida pelo repórter Marcelo Godoy, que a meu pedido foi saber do destino deles. Joel saiu da prisão em junho de 2006 e Florentino, em outubro de 1985.

Pelas últimas notícias que eu tinha deles, sabia que Joel havia fugido no lançamento de *Solidão*, em 1983, quando ele e Florentino foram autorizados a comparecer à noite de autógrafos, acompanhados discretamente por um agente de segurança. Fiquei preocupado com o destino de Joel, ao ler na manhã seguinte uma pequena reportagem de Renato Lombardi sobre a fuga do detento. "A tentativa de fuga é um direito do preso, isso não vai pesar na pena dele, se não cometer outro crime", tranquilizou-me o advogado Gerson Mendonça, quando lhe relatei o ocorrido. Acho que não pesou mesmo, porque, se Joel saiu por força de liberdade condicional, como consta de sua ficha, é porque deve ter voltado à prisão e merecido o benefício. Ele tem agora sessenta e sete anos e estaria morando em Guarulhos.

Florentino foi beneficiado pela prisão-albergue domiciliar e foi morar em Campinas, conforme está registrado no banco de dados. Tem cinquenta anos e desistiu de fazer medicina, como planejava, para estudar direito. Fez o vestibular e foi aprovado em janeiro de 1983, na PUC de São Paulo, que lhe deu uma bolsa de estudos.

Não refiz o contato com Joel e Florentino, mas espero que tenham reconstruído a vida e que estejam bem.

UMA DAS CARTAS MAIS emocionantes que recebi após a publicação de *Solidão* veio dos padres franceses Aristide Camio e Chico Gouriou, que estavam presos em Brasília, condenados por subversão — pelo envolvimento deles na luta em defesa dos índios e posseiros do Araguaia, a prelazia de dom Pedro Casaldáliga. Quem levou o livro para eles, com minha dedicatória, foi frei João Xerri, frade dominicano, meu amigo.

Os comentários de Aristide e Chico:

"*Na solidão de nosso cárcere que assumimos como parte de nosso sacerdócio ao serviço do Povo, refletimos sobre esses testemunhos de sofrimento — a solidão, esse mal que o homem cria para si mesmo ou para o seu semelhante. As experiências de solidariedade e fraternidade no povo mais humilde pode nos fazer acreditar que essa doença pode ser superada e curada.*"

MADRE MARIA APARECIDA GIANNOCARO, a superiora do Carmelo de Santa Teresa, no bairro do Jabaquara, que me falou de uma solidão desejada e querida, opção por uma vida isolada de silêncio e oração, morreu em 15 de janeiro de 2001. Nada mudou, porém, na história do mosteiro e na rotina das irmãs que vivem na comunidade. São vinte e três religiosas. Elas dividem o tempo entre o trabalho doméstico e o Ofício Divino, rezado em horas, das Matinas às Completas, sete vezes por dia. Conversam apenas durante os recreios, após o almoço e o jantar, sempre sobre assuntos espirituais e sobre a vocação que abraçaram para servir a Deus. Não ouvem rádio, só leem a edição semanal do *Osservatore Romano* e o jornal *O São Paulo*, da Arquidiocese de São Paulo, e ocasionalmente assistem a transmissões religiosas das emissoras católicas *Rede Vida* e *Canção Nova*.

"Solidão é aquilo de que mais necessito e mais gosto, porque nela eu fico em contato com Deus", confidenciou-me irmã Maria Cecília do Santíssimo Sacramento, sorrindo atrás das mesmas grades do parlatório do Carmelo de Santa Teresa, no Jabaquara, onde eu havia conversado com Madre Maria Aparecida, em 1982. Conversamos na manhã de 14 de janeiro de 2012, dia em que ela estava comemorando quarenta e quatro anos de profissão solene — os votos perpétuos de pobreza, obediência e castidade que as religiosas fazem ao se consagrarem a Deus.

Irmã Maria Cecília, de oitenta e três anos, nasceu no Japão e veio com os pais para o Brasil com apenas um ano. Chamava-se Sadae Chiba pelo registro civil, formou-se em medicina e trabalhava havia seis anos no Hospital das Clínicas, em São Paulo, quando, aos trinta e dois anos de idade, descobriu sua nova e definitiva vocação. "Eu queria salvar almas e vi que aqui era meu lugar", recorda a freira carmelita. Feliz por haver trocado o trabalho nas enfermarias e ambulatórios por uma vida de recolhimento e contemplação, ela tem raros contatos com o mundo de fora da clausura.

"Eu tinha sete irmãos, dois morreram e os outros cinco me visitam muito pouco", contou irmã Maria Cecília. Não era uma queixa, só a constatação de que os parentes têm outros compromissos e não podem estar sempre presentes. "Só quando peço para um deles me levar ao médico ou na celebração de alguma festa minha no Carmelo." As carmelitas enclausuradas saem também para votar nas eleições como cidadãs. Fora isso, só em ocasiões muito especiais, como nas passagens dos papas João Paulo II e Bento XVI por São Paulo. Ao receberem visitas, podem abrir a janela e a cortina atrás das grades, novidade relativamente recente na história dos conventos de clausura rigorosa.

"A vida contemplativa é uma vida de solidão, que as freiras abraçam para se encontrar com Deus", repetiu irmã Rosa Maria, uma monja que se transferiu para o Mosteiro da Luz, das irmãs concepcionistas, depois de fazer um estágio no Carmelo de Santa Teresa, em 2011. Ela foi beneditina, antes de abraçar a nova vocação. "Vivo na solidão, mas não sinto solidão, porque estou na presença de Deus", disse-me pelo telefone, ao falar da reclusão voluntária entre quatro muros. Para ela, como era para madre Maria Aparecida, que viveu cinquenta e nove anos no Carmelo, a solidão não é pesada, mesmo vivendo atrás das grades da clausura, porque é uma opção pessoal, uma escolha livre.

PADRE LAURO PALÚ ENTROU nas páginas de *Solidão* na galeria dos "eleitos", ao lado dos "condenados", como ele observou há alguns meses, lembrando a contraposição que fiz entre religiosos, de um lado, e presidiários, de outro — todos vivendo atrás das grades, físicas ou virtuais. Com a diferença de que freiras e padres abraçam o celibato e a clausura porque querem enquanto os presidiários são trancafiados contra a vontade.

Sem mais a companhia de outros padres lazaristas, da Congregação da Missão, que também apareceram no livro, Lauro Palú faz uma reavaliação do relato que fez para a primeira edição, comparando o episódio vivido na época com experiências vindas depois. Eis o seu depoimento, de 29 de agosto de 2011:

"Como padre, sempre vivo ao lado de muitas pessoas e, se uma vez senti a solidão descrita na primeira edição deste livro, depois daquele episódio, debatido na psicanálise que estava fazendo, não tive mais experiência ou oportunidade de me sentir solitário. Ainda hoje, curto muito as horas da tarde, após as manhãs cheias de algum domingo, para o descanso de que precisarei na semana que se inicia.

Uma vivência equivalente, na linha do que o Mayrink me perguntou, posso dizer que já tive, algumas vezes, duas ou três, quando me defrontei com problemas que me assustaram, dos quais não sabia como me livrar. Mas nessas horas, além de pensar: "Como vou sair desta?", sempre estive com amigos, colegas ou colaboradores com quem pude tratar as questões e encaminhar os processos, imaginando e preparando reuniões, textos, respostas etc. Neste ponto, nunca me senti desamparado, sem saber o que fazer. Não uso nada para me curar de estar sozinho, quando me acontece, pois a música, a poesia, a oração ou o estudo sempre foram boa companhia e justo entretenimento."

O PSICANALISTA JOÃO BATISTA Ferreira, mineiro residente no Rio de Janeiro que falou, na época, terceiro trimestre de 1982, sobre a solidão de padres e religiosas, citando as carmelitas enclausuradas como exemplo, retoma o tema, acrescentando outras observações e revendo alguns conceitos da primeira entrevista. Substitui, por exemplo, as palavras racionalizar e racionalização, que não se enquadrariam bem na psicanálise, por sublimar e sublimação, quando se refere à maneira de os solitários encararem a solidão. João Batista agora:

"Há trinta anos, falei da solidão, enquanto sintoma, portanto dor que não tem idade e é associada ao meio em que ela acontece. Aí, situam-se eventos negativos de várias naturezas, perdas, vicissitudes geradas pelo ostracismo e esquecimento, abandono e muito mais. A racionalização ajuda a minorar a dor. Os caminhos mais eficazes são os de uma elaboração criativa ou sublimação.

Hoje, arriscaria falar da solidão também para 'aquém' do sintoma, enquanto construção dentro do sujeito.

Solitudo, *palavra latina, por polissemia pode ser lida como SÓ+TUDO. É comum ler-se a palavra como significando estar só e sem tudo. Seria possível uma leitura diferente, estar só e mais tudo o que você saudavelmente agregar?*

O ser é singular. A solidão é constitutiva da subjetividade. Acompanha a trajetória humana. Não carreia, por si só, um valor, se bom ou mau, embora o uso lhe dê uma conotação negativa. Fatores externos de maior ou menor povoação em torno do indivíduo emolduram, mas não mudam o pano de fundo. É que a solidão terá o destino que o sujeito lhe der. Neste sentido, na clínica psicanalítica, o foco não é pontuar presença ou ausência de outro na queixa do vazio. A pergunta é: o que você faz com você? Você se faz boa companhia?

A generosa aceitação de si, o amoroso estar bem consigo mesmo são o determinante para a instalação de um estado de satisfação, onde há lugar para o plural, fora, e para o singular, dentro do sujeito, no sentido de capacidade criativa para estar só. Assim sendo, a solidão é voluntária, sem ser solipsista, essencial na arte e na contemplação: BEATA SOLITUDO (excelsa solidão) ou SOLA BEATITUDO (absoluta usufruição).

É fácil olhar o que acontece fora, difícil é ver o que acontece dentro. SÓ é aquele que abdicou de tudo, até de si mesmo."

— VOCÊ NÃO É o Mayrink do jornal *Estado* e da *Rádio Eldorado*, que escreveu sobre a solidão dos hansenianos? — perguntou-me Manoel dos Santos Soares, ao ouvir minha voz, quando o visitei no Hospital Dr. Arnaldo Pezzuti Cavalcanti, antigo Hospital Santo Ângelo, em Jundiapeba, município de Mogi das Cruzes. Foi em 2001, quase vinte anos após nosso primeiro contato, em 1982, quando conversei com ele e outros doentes, acompanhado pela médica Leontina Margarido, especialista na área e minha guia na visita. Manoel tinha então setenta e cinco anos e, como da primeira vez em que o vi, estava ali no seu quarto de cama, mesa, armário e cadeira, com um rádio portátil sempre ao alcance das mãos. Cego há mais de quarenta anos, gosta de falar dos tempos em que enxergava. Fala das diversões que havia no hospital — jogo de futebol, cinema e bailes. "Eu não casei, mas dancei com muitas moças aqui", lembra com satisfação.

A mesma cena se repetiu na tarde de 18 de dezembro, último sábado antes do Natal de 2011, quando voltei ao hospital para rever os internos remanescentes. Eram então 118 doentes, alguns morando em casas individuais com algum parente e outros nos pavilhões de internação, agora chamados de espaços. O espaço de Manoel dos Santos Soares tem o nome dele, assim como o pavilhão vizinho tem o nome de Sílvio Bez, de oitenta e oito anos, internado desde 1939. Homens e mulheres que ali se encontram há décadas abraçaram com alegria a amiga doutora Leontina, lembrando os tempos em que tratou deles — desde quarenta e um anos atrás, quando chegou como estagiária da Faculdade de Medina da Universidade de São Paulo e nunca mais esqueceu os hansenianos.

"Solidão? Espírita, como eu sou, não tem solidão, porque estamos sempre acompanhados daqueles espíritos que já se foram deste mundo", disse Manoel, repetindo palavras de fé e esperança que mantêm o seu admirável bom humor, a certeza de que um dia vai renascer na vida melhor. Aos oitenta e cinco anos de idade, está no hospital desde 1935. Foi internado aos nove anos, quando foi visitar um irmão doente. A internação dos hansenianos, então chamados de leprosos, era compulsória. De sete irmãos, quatro tinham a moléstia de Hansen. Teve alta em 1965, mas voltou para Jundiapeba dois anos depois, porque não se readaptou à convivência com a família. Tem alguns sobrinhos, mas nenhum deles vai visitá-lo. Manoel registra o abandono, sem se queixar. Seus amigos são os outros doentes, os médicos, os enfermeiros e os voluntários espíritas, evangélicos e católicos que levam auxílio espiritual e consolo aos pacientes do hospital.

Raimunda Juca Viana, de sessenta e sete anos, que voltou a morar numa das casas do antigo Hospital Santo Ângelo após viver mais de dez anos fora, testemunha no dia a dia a solidão dos doentes abandonados pela família. Esse abandono torna a moléstia mais pesada, observa Raimunda, porque se soma à discriminação secular sofrida pelos hansenianos. Não é bem o seu caso, pois sempre cuidou de sobrinhos que foram morar com ela, dando-lhes conforto e estudos. Raimunda tem sequelas da hanseníase no corpo, mas não se constrange com isso. Dá apoio aos companheiros doentes no hospital, defendendo seus direitos e cobrando assistência adequada, como representante deles e como militante do Movimento de Reintegração das Pessoas Atingidas pela Hanseníase (Mohan). Quando viaja de avião, nota que os vizinhos de assentos estranham as marcas da doença nas suas mãos e no rosto. Puxa conversa e aproveita para falar das condições vividas pelos hansenianos no Brasil.

O BRASIL DIAGNOSTICOU 34.894 novos casos de hanseníase em 2010. O número de doentes continua significativo, como demonstram as campanhas realizadas por uma equipe de médicos do Hospital das Clínicas nas comunidades carentes de São Paulo. Os portadores da Moléstia de Hansen (MH) representam, em média, 6,5% das pessoas examinadas, segundo a doutora Leontina Margarido. Eles estão presentes em todas as camadas sociais, mas predominam entre as menos favorecidas, os pobres.

Não há mais a internação compulsória que isolava os pacientes até meados dos anos 1960, mas a solidão de quem contraiu hanseníase ainda existe. "A solidão provém do estigma milenar que sempre acompanhou a moléstia, por causa das sequelas estigmatizantes — como lesões e amputações — principalmente no tempo em que ainda não havia tratamento adequado", afirma Leontina numa exposição recente sobre o sofrimento dos hansenianos. Ao visitar pela primeira vez, em 1971, como estudante de medicina, o antigo Hospital Santo Ângelo, em Jundiapeba, ela estranhou que os doentes não lhe retribuíam o gesto, quando lhes estendia a mão. Ficou triste, achando que não era bem-vinda, até descobrir que os "leprosos" internados à força nas décadas passadas eram proibidos de tocar as pessoas.

"Impressionada com a solidão de velhinhas e velhinhos que estavam abandonados pelas famílias no pavilhão geriátrico, comecei a chamar os parentes para estimular a volta dos doentes para casa. Raríssimos foram recebidos de volta", lembra a doutora Leontina, mais tarde diretora do Departamento de Dermatologia da Secretaria Estadual de Saúde. As velhinhas acariciavam na enfermaria bonecas que representavam os parentes. Eram as suas confidentes. Raramente falavam da tristeza das sequelas que traziam no corpo. Nas noites frias, recorda Leontina, era comum ver doentes andando pelos corredores e nas varandas, sofrendo muita dor nos nervos periféricos (neurite), que pioram no frio e à noite. "Solidão da noite fria e dolorida, literalmente!"

O tratamento melhorou com o uso de novos medicamentos, não há mais internação compulsória nem confinamento de hansenianos em hospitais, mas a solidão ainda se soma ao sofrimento desses doentes. Mais um testemunho da doutora Leontina:

"Ainda hoje, em 2012, muito doente com MH não confessa sua moléstia aos médicos ou hospitais onde vão tratar de algum problema. Conheço muitos doentes que não contaram nem para o cônjuge o seu diagnóstico. A solidão persiste, a meu ver, alimentada pelo estigma. Quando a doença ocorre em crianças, os pais promovem o tratamento, mas também escondem o rótulo do paciente e da família. Creio que esse segredo atormenta muito a alma dos doentes, cuja solidão é muito profunda."

QUANDO VI A DOUTORA Leontina abraçar, rosto no rosto, os doentes do antigo Hospital Santo Ângelo, em 1982, imaginei que ela estivesse posando para as fotos da reportagem. Injustiça minha, pois a médica repetiu o gesto de leito em leito, em todos os quartos e enfermarias. "Ninguém faz isso para sair no jornal", pensei em seguida, me penitenciando da suspeita injustificável. Ainda bem, pois as cenas se repetiram quase trinta anos depois, em dezembro de 2011, quando voltei com Leontina ao hospital. Mais uma vez, como sempre fez, ela abraçou os antigos e os novos pacientes com um sorriso amigo, transmitindo confiança e solidariedade.

UM COLEGA MEU NA redação do jornal, Lucas de Abreu Maia, de vinte e oito anos, ficou admirado ao saber que Manoel dos Santos

Soares me havia reconhecido pela voz, vinte anos após tê-lo entrevistado, em Jundiapeba. "Eu não seria capaz disso", comentou Lucas, que nunca enxergou e costuma identificar com facilidade as pessoas conhecidas com quem está falando. Ao ouvir os depoimentos de cegos em *Solidão*, que um amigo leu para ele, Lucas descreveu sua própria experiência para esta nova edição do livro:

> *Aprendi com minha mãe que a solidariedade é o outro lado da dor. Todos nós — que enfrentamos desafios na vida maiores que as pessoas ditas normais — aprendemos a confiar nas outras pessoas. E, na maior parte das vezes, as pessoas merecem a confiança que nelas depositamos.*
>
> *Sou cego de nascença. Uma das coisas mais importantes que aprendi, à medida que amadureci, foi que não existe nada de errado, constrangedor ou humilhante em pedir ajuda. Ao contrário: me parece um ato de bravura admitir que há limites que somos incapazes de transpor sozinhos. E observar as pessoas esforçando-se para me ajudar é uma das experiências mais enternecedoras que tive — e ainda tenho, diariamente. É tocante ver o empenho que amigos e família, colegas de trabalho e estranhos na rua têm em auxiliar-me na superação da minha cegueira. Neste sentido, tenho sorte em precisar das pessoas.*
>
> *Por isso, solidão, para mim, é um verbete pouco consultado. Alguém que precisa tanto do outro não pode se dar ao luxo de se isolar. Ao contrário: as raras vezes em que faço uso da solidão, o faço voluntariamente. Dependo dos outros para ver o mundo para mim. Dependo do toque e dos ouvidos para conhecer o mundo. Às vezes, contudo, preciso do silêncio e do isolamento. Preciso calar-me e que os outros se calem, para que*

assim possa descansar os sentidos do turbilhão de sensações que me impregnam constantemente.

Repórter da Editoria de Política do jornal *O Estado de S. Paulo*, formado em jornalismo na Pontifícia Universidade Católica do Rio de Janeiro (PUC-RJ), Lucas é um profissional capacitado, com extraordinário senso de direção, grande intimidade com instrumentos modernos como o computador e incrível capacidade de adaptação a lugares e a pessoas. Conta, é verdade, com o avanço da tecnologia, como programas de informática que leem informações para ele escrever seus textos. Pelo número de amigos que tem e pela sua desenvoltura para se comunicar, dá para entender que não tem ou administra bem a solidão.

AS PESSOAS SOLITÁRIAS QUE sofrem com a solidão precisam de ajuda e contam com a solidariedade de quem esteja disposto a escutá-las. Por exemplo, os voluntários do Centro de Valorização da Vida (CVV), que estão sempre de plantão ao telefone para ouvir aqueles que buscam uma palavra amiga. O psicólogo André Lorenzetti, que sucedeu ao pai, Valentim Lorenzetti, falecido em 1990, na coordenação desse admirável serviço, constata que a solidão continua em São Paulo.

Seu testemunho:

"Nesses trinta anos, o quadro da solidão talvez não tenha mudado muito. Prova disso é o fato de o CVV, que completou cinquenta anos em 2012, ter crescido consideravelmente nesse período. São realizados cerca de um milhão de atendimentos ao ano pelos quase 2 mil voluntários. O que motiva essas pessoas varia muito, mas certamente a grande maioria recorre ao CVV por solidão, mesmo não se dando conta disso. Também mudou a forma de contato com o CVV, graças ao avanço da tecnologia. Além dos tradicionais contatos telefônicos, pessoais e por cartas, o CVV atende agora por *e-mail*, telefone por internet e *chat*."

SE "A SOLIDÃO DE Deus é incomparável", como escreveu Carlos Drummond de Andrade num poema citado por Raif Kurban, ao comentar a série de reportagens que publiquei no *Estado*, também é incomparável "a comunhão com ele na comunidade", observou o cardeal dom Paulo Evaristo Arns num cartão que me enviou em maio de 1983, ao ler os versos do poeta.

Solidão, solidariedade e comunhão são palavras que se completam.

SOBRE O AUTOR

JOSÉ MARIA MAYRINK — QUE DEPOIS DA PRIMEIRA EDIÇÃO deste livro publicou *Filhos do Divórcio* e *Anjos de Barro*, com extraordinária repercussão, pela *EMW Editores* — nasceu em julho de 1938 na pequena cidade de Jequeri, Zona da Mata de Minas Gerais. Filho de pai médico e de mãe professora primária, aos treze anos entrou no seminário de Mariana, de onde se transferiu para o Caraça. Concluído o curso colegial, foi para Petrópolis, onde fez filosofia e dois anos de teologia. Nessa época, escreveu *Pastor e Vítima*, usando o pseudônimo de Augusto Gomes, nome de família de sua mãe.

Em 1961, deixou o seminário e foi dar aulas de latim e português em Ponte Nova, onde colaborou no semanário *Jornal do Povo*. No ano seguinte, estava em Belo Horizonte, iniciando o curso de jornalismo na Universidade Federal de Minas Gerais e trabalhando no *Correio de Minas*. Escreveu para as revistas *Três Tempos* e *Alterosa*, passou dois meses no *Diário de Minas* e transferiu-se para o Rio de Janeiro. Aí viveu cinco anos, trabalhando nos jornais *Correio da Manhã, O Globo* e *Jornal do Brasil*, além da *Rio Gráfica e Editora*. Fez suas primeiras viagens ao exterior para reportagens no Panamá, Costa Rica, Nicarágua, Guatemala, Haiti, República Dominicana e Estados Unidos. Em 1968, a convite da revista *Veja*, veio para São Paulo.

Foi repórter especial do *Jornal da Tarde* durante quase nove anos. Ganhou o prêmio Imprensa do Governo do Estado, prêmio Rondon de Reportagem e o prêmio Esso de Jornalismo (de parceria com Ricardo Gontijo), escrevendo sobre problemas urbanos de São Paulo. Concluiu, então, na Faculdade Cásper Líbero, o curso de jornalismo, interrompido oito anos antes. Cobriu o golpe militar do Chile em 1973, e em 1976 acompanhou a viagem do presidente Ernesto Geisel à França, Inglaterra e Japão. Em maio de 1977, Mayrink sentiu saudades da infância e de suas raízes: trocou São Paulo por Minas Gerais e foi trabalhar na sucursal do *Jornal do Brasil* em Belo Horizonte. Mas o sonho durou apenas cinquenta dias, pois em julho já estava de volta como editor internacional de *O Estado de S. Paulo*, cargo que ocupou durante cinco anos. Viajou à Argentina (conflito de Beagle), Colômbia (sequestro de embaixadores), Cuba (saída em massa de refugiados) e três vezes à América Central, sempre cobrindo golpes e guerrilhas.

Foi o último repórter a entrevistar dom Oscar Romero, assassinado três dias depois em San Salvador. Em 1983, acompanhou a visita de João Paulo II à Nicarágua, El Salvador, Guatemala e Haiti. Em 1989, transferiu-se para a revista *Família Cristã* e, um ano e meio depois, para a sucursal paulista do *Jornal do Brasil*. Viajou duas vezes a Cuba, em 1994 e em 1998 — nesta para cobrir a visita do papa João Paulo II à ilha de Fidel Castro.

Mayrink é outra vez repórter especial de *O Estado de S. Paulo*, jornal para o qual voltou em março de 2000. Nos últimos anos, foi três vezes ao Haiti e de novo a Cuba (reunião dos bispos latino-americanos). Em 2002, quando publicou o livro *Vida de Repórter*, pela Geração Editorial, contando sua experiência como jornalista, cobriu a viagem de João Paulo II a Cracóvia. Visitou Auschwitz por interesse pessoal e escreveu uma página emocionante sobre o antigo campo de concentração nazista. Nos anos seguintes, acompanhou o conclave que elegeu Bento XVI em 2005 e a cerimônia de beatificação de seu sucessor, o papa polonês Karol Wojtyla, em 2011.

Em dezembro de 2008, lançou o livro-reportagem *Mordaça no Estadão*, sobre a censura nos jornais *O Estado de S. Paulo* e *Jornal da Tarde*, no período de dezembro de 1968 a janeiro de 1975. Tentou voltar a Cuba, que já havia visitado quatro vezes como jornalista. Sem sucesso. O governo cubano negou o visto de entrada, sem explicação, em julho de 2008, quando pretendia, acompanhado do fotógrafo Tiago Queiroz, mostrar a transição de Fidel para Raúl Castro. Em março de 2012, a burocracia comunista deixou sem resposta novo pedido de visto, agora para cobrir a viagem do papa Bento XVI a Santiago de Cuba e Havana. Mais uma vez, sem explicação.

Cobriu, no Vaticano, o conclave que elegeu o papa Francisco — o argentino Jorge Mário Bergoglio — em março de 2013.

Em dezembro de 2013, recebeu do jornal *O Estado de S. Paulo*, na cerimônia de entrega do 13º Prêmio Estadão de Jornalismo, uma homenagem "pelos 50 anos de rica contribuição ao jornalismo brasileiro." São agora 52 anos.

Católico, é casado com Maria José Lembi Ferreira Mayrink, pai de quatro filhas e avô de oito netos.